10266202

D0545813

CYMRAEG CLIR
CANLLAWIAU IAITH

CEN WILLIAMS

Argraffiad cyntaf: Ionawr 1999

Rhif Llyfr Safonol Rhyngwladol: 1 898817 49 9

Clawr a Dylunio: Smala, Caernarfon
Argraffu: Gwasg Dwyfor, Penygroes

Cyhoeddir gan Gyngor Gwynedd, Bwrdd yr Iaith Gymraeg a Chanolfan Bedwyr, Aethwy, Ffordd y Coleg, Bangor, Gwynedd LL57 2DG

DIOLCHIADAU

Mae fy niolch i a fy nyled i'n fawr i nifer o wahanol bobl. Syniad rhai o brif swyddogion Gwynedd oedd Cymraeg Clir yn y lle cyntaf a rhaid enwi Mr Dafydd Whittall am yr ysgogiad cyntaf ac am gadeirio'r Pwyllgor Llywio. Diolch arbennig iawn hefyd i Gwenan Parry, Gwynedd am ei gwaith caled a'i chynghorion doeth wrth drefnu'r cwbl.

Mae Gwynedd a Bwrdd yr Iaith Gymraeg wedi noddi gwahanol agweddau o'r gwaith a heb y gefnogaeth ariannol yma, fyddai'r gwaith ddim wedi cychwyn o ddifri.

Meinir Pierce Jones a minnau fu'n crafu pen (ac sy'n dal i wneud hynny) gyda geiriau ac ymadroddion styfnig—diolch o galon Meinir am sawl gweledigaeth a llond trol o lafur.

Bu sylwadau 2 grŵp o bobl yn help ac yn hwb, a dwi am eu henwi nhw yma. Yn gynta, y Pwyllgor Llywio:

> Dafydd Whittall (Cadeirydd), Hedley Gibbard, Gwenan Parry,
> Megan Tomos, Gwilym Owen, Heini Gruffydd a Gwyn Jones

Yna'r criw bywiog, parod eu barn, eu cyngor a'u beirniadaeth a fu'n edrych dros nifer o'r newidiadau ac yn rhoi eu llinyn mesur dros 'y Cymraeg Clir ma'. Doedd Mrs Jôs, Llanrug ddim yno, ond roedd rhain yn cynrychioli'r amrywiaeth Cymry Cymraeg sydd yng Ngwynedd. Roedd yma groes-doriad diddorol iawn o ddysgwyr a Chymry, rhai ifanc a rhai dipyn hŷn, rhai yn ac wedi cael addysg ffurfiol a rhai oedd wedi cael eu haddysg yng ngholeg bywyd. Diolch i chi i gyd:

> Claire Britton, Rhodri Dafydd, Elwyn Edwards, Alwena Evans,
> Edith Evans, Linda Griffiths, Terry Hughes, Ann Trefor Jones,
> Lorraine Jones, Dewi Tudur Lewis, Mair Lloyd, Daniel Owen,
> R.S.Roberts a Sue Williams.

Diolch hefyd i Meirion MacIntyre Huws o Smala a Gwasg Dwyfor am eu gofal a'u gwaith glân.

**Mae fy niolch pennaf i 'nhad a mam
am roi Cymraeg naturiol a syml i mi.**

Iddyn nhw yr ydw i'n cyflwyno'r llyfryn yma.

RHAGAIR

Pa mor aml fyddwch chi'n gorfod ailddarllen brawddegau a pharagraffau ar ffurflenni swyddogol er mwyn eu deall yn llawn? Byddwn yn cymryd llawer mwy o amser nag a ddylen ni i lenwi ffurflenni oherwydd bod yr iaith mor drwsgl.

Cyfartaledd oed darllen mewn Saesneg ym Mhrydain yw tua 9 oed. Mae'r papurau tabloid yn sylweddoli hynny ac yn cadw'r oed darllen i tua 9 - 10. Mae oed darllen y papurau trymion Saesneg yn cael eu cadw i tua 13 - 14. Eto, mae oed darllen y rhan fwyaf o'n ffurflenni Cymraeg swyddogol yn uwch o lawer.

Canlyniad hyn yw:

- gwybodaeth anghywir yn cael ei rhoi ar y ffurflen;
- cymryd llawer gormod o amser i lenwi'r ffurflenni;
- bod llawer o bobl yn troi at gynghorwyr am help i lenwi ffurflenni syml;
- bod rhaid i rai sy'n prosesu'r wybodaeth anfon am fwy o fanylion;
- bod gormod o lawer o Gymry naturiol yn llenwi'r ochr Saesneg yn hytrach na'r fersiwn Cymraeg.

Un ateb yw symleiddio ffurflenni a deunydd sy'n cael ei gynhyrchu ar gyfer y cyhoedd. Yn Lloegr mae'r *Plain English Campaign* wedi bod yn gwneud hynny ers 1979. Mae mwy a mwy o alw amdanyn nhw. Erbyn hyn mae llywodraethau tramor sy'n gweithio drwy'r Saesneg, swyddfeydd y llywodraeth ym Mhrydain, cwmnïau preifat a chyhoeddus yn eu defnyddio.

Mae **CYMRAEG CLIR** yn cynnig **yr un gwasanaeth symleiddio** yn Gymraeg.

Mae'r broblem yn fwy yn Gymraeg yn aml, am:

- bod llawer o'r deunydd wedi'i gyfieithu o Saesneg sâl a thrwsgl;
- y gallai cyfieithydd dibrofiad ddilyn geiriad y Saesneg gwreiddiol (yn hytrach na dilyn yr ystyr);
- bod cymaint o wahaniaeth rhwng Cymraeg llafar a'r Gymraeg safonol sy'n cael ei sgrifennu;
- bod llawer o'r termau technegol yn newydd i'r darllenydd cyffredin.

Mae **CYMRAEG CLIR** yn cynnig **help cyffredinol a gramadegol** i gyfieithwyr.

PREFACE

How often have you had to re-read sentences and paragraphs on official forms before understanding the exact meaning? Very often we take much more time than we should in filling such forms because instructions and questions are so clumsily worded.

The average reading age in Britain is about 9. The tabloid newspapers, recognize this and keep to a reading age of about 9 - 10. The reading age of the 'heavies' are kept to about 13 - 14 and yet the reading ages of many Welsh medium official forms are higher than this.

This leads to:

- supplying wrong information;
- form filling being very time-consuming;
- councillors being inundated with requests for help in filling simple forms;
- uncertainty when processing the data leading to further inquiries;
- native and competent Welsh speakers filling the English versions rather than the Welsh versions.

One solution is to simplify forms and material that is meant to be read by the general public. In England, the Plain English Campaign has been doing this since 1979. Their reputation has been growing from strength to strength and now they are being used by foreign governments working through the medium of the English language. Government offices and a wide range of public and private companies in Britain are also using their expertise.

CYMRAEG CLIR is here to offer **similar simplification services** in the Welsh language.

The problem is greater in the case of the Welsh language because:

- much of the material is translated from clumsily written English material;
- translating could cause problems, because an inexperienced translator could be tempted to follow the wording in the original version (rather than the meaning);
- it may be argued that the written form of the Welsh language itself is so far removed from the spoken language as to cause problems for some readers;
- Welsh medium material uses new technical terms that may not be known to the general reader.

CYMRAEG CLIR offers **general and grammatical guidance** to translators.

CYMRAEG CLIR
CYNNWYS

CYMRAEG CLIR

RHAN I - CYFLWYNIAD I'R MAES

ENGHRAIFFT A

Edrychwch o'ch cwmpas. Welwch chi rywbeth i'w ddarllen? Oes print i'w weld? Mae print ym mhobman y dyddiau hyn ac rydym yn gorfod ei ddarllen a'i ddeall yn sydyn. Mae llawer ohono'n llawn jargon, geiriau technegol, geiriau hen ffasiwn a brawddegau hir a chymhleth. Cofiwch chi, mae'r rhai sy'n sgrifennu hysbysebion wedi deall y gyfrinach. Brawddegau byr sy'n dal eich sylw sydd ganddyn nhw ran amlaf; neges sy'n hawdd i'w deall.
(71 gair; 7 brawddeg)

ENGHRAIFFT B

Yn y byd cyfoes, amgylchynir ni gan ddeunyddiau argraffedig y disgwylir i'r cyhoedd eu darllen a'u dehongli gyda brys anarferol er eu bod, yn aml, yn llawn ffiloreg a geirfa dechnegol a thraddodiadol yn ogystal â chystrawennau anhylaw sy'n cyflwyno ystyron astrus. Ar y llaw arall, gellid dadlau bod y dylunwyr a'r crewyr hynny sy'n gyfrifol am hysbysebion wedi datrys y gyfrinach trwy arfer brawddegau byrion i gyfleu cenadwri y mae dealltwriaeth ohoni yn haws.
(75 gair; 2 frawddeg)

Dau eithaf sydd yn yr enghreifftiau hyn wrth reswm. Eto, wrth eu defnyddio, mae hi'n haws dangos beth yw rhai o'r pethau sy'n gwneud darn yn anodd neu'n hawdd i'w ddarllen. Brawddegau byrion sydd yn enghraifft A, brawddegau sy'n fwy uniongyrchol ac sy'n defnyddio geiriau cymharol hawdd eu deall a'u dilyn. Geiriau bob dydd yw llawer ohonynt.

Y gwahaniaeth mwyaf amlwg rhwng y ddau ddarn yw hyd y brawddegau. Yn enghraifft B, mae 42 gair yn y frawddeg gyntaf ac mae unrhyw frawddeg sydd cyn hired â hynny'n mynd i achosi trafferth i rai pobl. Meddyliwch am rai na fydd byth yn defnyddio'r Gymraeg yn eu gwaith o ddydd i ddydd. Byddai gweld brawddegau fel B ar ffurflen swyddogol yn ddigon â thorri eu calonnau.

Mae un peth arall sy'n gwneud B yn fwy cymhleth sef y geiriau sydd ynddo, e.e. *argraffedig, ffiloreg, anhylaw, astrus, dylunwyr, crewyr, arfer, cenadwri.* Geiriau anghyffredin ydynt i'r rhan fwyaf o bobl ac mae cael cymaint ohonynt gyda'i gilydd yn arafu'r darllen a chymylu'r deall. Lle mae hynny'n bosib, cadwch at eiriau llai na 3 sillaf o hyd.

BETH YW RHAN CYMRAEG CLIR YN HYN FELLY?

Pwrpas Cymraeg Clir yw symleiddio'r Gymraeg fel y bydd y bobl sy'n gallu ei siarad yn gallu ei darllen yn weddol rhwydd.

Y ffordd orau i esbonio yw gofyn nifer o gwestiynau syml:

- Ar gyfer pwy mae'r llyfryn yma?
- A fydd Cymraeg Clir yn arwain at ladd y Gymraeg?
- Sut mae mynd ati i symleiddio'ch iaith?

AR GYFER PWY MAE'R LLYFRYN YMA?

Llyfryn ar gyfer y rheini ohonoch sy'n sgrifennu'r iaith yw hwn. Llyfryn a fydd yn eich helpu chi i symleiddio'ch iaith wrth sgrifennu. Mae hynny'n golygu y bydd mwy o bobl yn deall eich gwaith heb holi neu droi at y Saesneg. Felly, mae ar gyfer unrhyw un sy'n:

- sgrifennu llythyrau at y cyhoedd;

- llunio ffurflenni o unrhyw fath;

- llunio taflenni neu lyfrynnau sy'n rhoi gwybodaeth, cyfarwyddiadau, rheolau a.y.y.b.

- addasu deunydd Saesneg i'r Gymraeg;

- cyfieithu deunyddiau o'r Saesneg (neu unrhyw iaith arall) i'r Gymraeg;

- llunio adroddiadau;

- llunio hysbysebion, erthyglau papur newydd a.y.y.b.

- sgrifennu cofnodion ar ôl pwyllgorau;

- anfon nodyn, *memorandwm* neu gyfarwyddiadau a.y.y.b. at gydweithwyr;

- defnyddio'r cyfrifiadur i anfon llyth-el (*e-mail*);

Mae'r rhestr yn ddi-ben-draw. Mae Cymraeg Clir ar gyfer unrhyw un sydd eisiau dweud ei neges mewn ffordd syml fel bod y darllenwr yn gallu ei deall yn sydyn.

A FYDD CYMRAEG CLIR YN HELPU'R GYMRAEG?

Y bwriad yw cael mwy o bobl i'w defnyddio'n naturiol yn hytrach na'i hosgoi. Ond dowch i ni am funud ystyried sefyllfa'r iaith yng Nghymru heddiw.

- Mae mwy o gyfle o lawer i weld a defnyddio'r Gymraeg yn swyddogol ac yn y gwaith oherwydd:

  - safiad Cymdeithas yr Iaith Gymraeg yn y gorffennol dros ffurflenni Cymraeg;

  - gweithgarwch mudiadau fel Cefn;

  - Deddf yr Iaith Gymraeg, 1993;

  - Bwrdd yr Iaith Gymraeg a'r angen i gyrff cyhoeddus lunio Cynllun Iaith;

  - bod mwy o Gymraeg ar waith yn y system addysg;

  - bod modd sefyll arholiadau TGAU, ym mhob pwnc bron, trwy'r Gymraeg;

  - bod busnesau preifat a siopau mawr yn defnyddio mwy ar yr iaith;

  - bod nifer o gynghorau Cymru bellach wedi mabwysiadu polisïau dwyieithog llawn ac ambell un fel Gwynedd yn gweithredu'n swyddogol trwy'r Gymraeg.

- Mae Aitchison a Carter (1994, t.88) yn rhagweld y bydd cynnydd yn niferoedd y siaradwyr Cymraeg erbyn 2001; y cynnydd cyntaf mewn Cyfrifiad er 1911[1]. Mae hynny'n newyddion da i'r iaith. Ond rhaid cofio hefyd mai siarad Cymraeg yn unig y mae tua 100,000 o'r 546,551 sy'n medru'r iaith.[2] Tybed a oes modd cael y rhain i ddarllen yr iaith hefyd trwy symleiddio'r Gymraeg a sgrifennwn?

- Rhaid cofio hefyd mai dysgu'r Gymraeg o'r newydd y mae canran uchel iawn o'r plant a ieuenctid sydd yn ein hysgolion Cymraeg. Mae amryw o'n hysgolion uwchradd dwyieithog yn y De yn derbyn dros 95% o'u disgyblion o gartrefi di-Gymraeg. Mae angen iaith syml ar ffurflenni a thaflenni swyddogol i'w cadw'n ddarllenwyr a defnyddwyr y Gymraeg. Ar ôl eu hennill rhaid eu cadw.

- Mae llawer o'r iaith lenyddol yn mynd yn ôl ganrifoedd. Iaith Beibl William Morgan ydyw ac fe aeth o'n ôl at iaith y Canol Oesoedd am lawer o'r geiriau. Ar hyd y canrifoedd roedd bwlch mawr rhwng yr iaith yr oedd pobl yn ei siarad a'r iaith oedd yn cael ei hysgrifennu. Mae rhai gramadegwyr yn credu bod yr iaith 'lenyddol' yng Nghymru ymhellach oddi wrth yr iaith lafar nag yn unrhyw wlad yn Ewrop. Pan oedd Saunders Lewis yn ysgrifennu llythyr personol at Kate Roberts yn 1929 roedd effaith yr iaith lenyddol honno yn drwm arno:

> Pan welaf chi mi fyddaf yn ddigon parchus ohonoch i ddweud Mrs. Williams, ond gan nad KR yw eich enw cyfreithiol mwyach, mi fyddaf innau yn ddigon hyf i'ch cyfarch wrth eich enw llenyddol (heb y "Miss") mewn llythyrau, ond gan eich atgofio hefyd fod gennyf innau enw llenyddol.[3]

Ond mae rhai ffurflenni swyddogol heddiw yn defnyddio'r un math o iaith orffurfiol:

> Dylid talu Treth Cyngor fesul taliad misol yn unol â'r rheolau statudol a ddangosir dros y dudalen y swm sy'n daladwy a'r dyddiadau y mae'r rhandaliadau yn daladwy. Fodd bynnag, gellir talu mewn un taliad ar yr amod fod y taliad yn cael ei wneud ar neu cyn y dyddiad pan fo'r rhandaliad cyntaf yn ddyledus.[4]

- Y nod, felly, yw cael mwy o bobl yn hyderus i ddefnyddio'r Gymraeg gan dderbyn ffurfiau haws a sgrifennu mewn ffordd fwy naturiol. Nid yw'n golygu defnyddio mwy o eiriau Saesneg, bratiaith a.y.y.b. Efallai y bydd yn golygu defnyddio gair mwy cyffredin sydd ar gael yn y Gymraeg. Neu ddefnyddio cystrawen (h.y. patrwm neu drefn geiriau yn y frawddeg) sy'n debycach i'r iaith lafar na'r iaith ffurfiol. Gallai olygu cychwyn brawddeg gyda *Neu* neu *Ond* er mwyn defnyddio brawddegau byrrach. **Symleiddio gan gadw urddas y Gymraeg a'i gwneud yn haws i'w ddarllen yw'r neges felly.** Mae'r adran nesaf yn cynnig rhai ffyrdd o wneud hynny. Yna yn **Rhannau II** a **III** byddwn yn manylu ar rai ohonynt ac yn cynnig enghreifftiau o wahanol ffurflenni, llyfrynnau a thaflenni.

---

[1] Aitchison, John a Carter, Harold, 1994, A Geography of The Welsh Language 1961–1991. Caerdydd: Gwasg Prifysgol Cymru
[2] Fel uchod, t.98
[3] Gol. Ifans, Dafydd, 1992, Annwyl Kate, Annwyl Saunders t.53. Aberystwyth: Llyfrgell Genedlaethol Cymru.
[4] Cyngor Gwynedd, 1996. Taflenni a oedd yn mynd gyda'r Bil Treth.

SUT MAE MYND ATI I SYMLEIDDIO'CH IAITH?

Mae llawer o'r cynghorion a gawn gan Rowntree (1996, t. 183 - 186) [5] am sgrifennu Saesneg yn syml, yr un mor wir am sgrifennu Cymraeg. Mae'r adran hon (hyd at *Cyflwyno'ch gwaith a'r ffordd y mae wedi'i osod ar y papur*) yn addasiad o rai o'i bwyntiau.

- **Sgrifennu'n fwy Llafar**
  (lle mae hynny'n addas o ran tôn)

  - Defnyddio rhagenwau personol e.e. fi, chi, ni yn enwedig mewn ymadrodd fel mi/fe waeddon ni yn hytrach na gwaeddom neu gwaeddasom

  - Defnyddio cywasgiadau dyw'r am nid yw y/yr; dydi'r am nid ydyw y/yr; mae'ch am mae eich; mae'n am mae yn.

  - Peidio defnyddio rhai ffurfiau sydd wedi marw bron ar lafar, pethau fel ffurfiau amhersonol y ferf e.e. dywedir, cyhoeddwyd, arferid a ffurfiau 3ydd unigol presennol y ferf gryno e.e. caiff, dywed, edrydd.

  - Defnyddio cwestiynau rhethregol – h.y. gofyn cwestiynau i ni'n hunain ar ddechrau paragraff ac yna eu hateb. Wrth siarad, byddwn yn gofyn cwestiynau fel hyn yn aml.

  - Sgrifennu mewn tôn gyfeillgar ac ysgafn.

- **Dewis eich geiriau'n ofalus**

  - Peidiwch â defnyddio nifer o eiriau pan fydd un neu ddau yn gwneud y tro, e.e. fel rheol yn hytrach na ym mwyafrif llethol yr achosion.

  - Defnyddiwch eiriau cyffredin yn hytrach na chwilio am eiriau sy'n swnio'n well, e.e. tŷ neu eiddo yn lle annedd. (Ond cofiwch fod yn ofalus gyda dogfennau cyfreithiol.)

  - Ceisiwch osgoi cymalau (neu rannau o frawddeg) sy'n swnio'n swyddogol, e.e. Bil Treth Cyngor yn hytrach na Hysbysiad Hawlio Treth Cyngor.

  - Ceisiwch ddweud eich neges mewn ffordd uniongyrchol yn hytrach na mewn ffordd gwmpasog neu haniaethol, e.e. Defnyddiwch y giard diogelwch neu gallai'r peiriant yma eich lladd yn hytrach na Mae perygl eithafol yn gysylltiedig â cham ddefnydd o'r peiriant hwn.

  - Defnyddiwch ferfau gweithredol yn hytrach na goddefol, e.e. Ysgrifennodd Mr Jones y llythyr yn hytrach na Cafodd y llythyr ei ysgrifennu gan Mr Jones.

  - Defnyddiwch dermau penodol pan fyddwch yn siwr y bydd y darllenwyr yn eu deall. Fel arall, diffiniwch nhw wrth eu cyflwyno.

- **Cadwch eich brawddegau'n fyr ac yn syml (i tua 20 gair fel rheol).**

  - Bydd brawddegau byr yn eich helpu i:
    - osgoi camgymeriadau gramadegol;
    - weld eich camgymeriad yn haws os gwnaethoch un;
    - osgoi problemau atalnodi.

---

[5] Rowntree, Derek, 1996, The Managers Book of Checklists. Llundain: Pitman Publishing

- Bydd sgrifennu brawddegau byr yn eich helpu i osgoi sgrifennu brawddegau hir a chymhleth fel hon sy'n cynnwys nifer o ymadroddion a chymalau sydd, nid yn unig yn anodd eu deall a'u dilyn, ond sydd hefyd yn cymylu ac yn cymhlethu'r darllen a'r deall gan wneud atalnodi yn broblem ychwanegol.

- **Cadwch eich paragraffau'n fyr**

  - Rhowch eich prif frawddeg, h.y. yr un sy'n cynnwys y prif syniad yn y paragraff, ar y dechrau; neu

  - Rhowch hi reit ar ddiwedd y paragraff, gyda'r brawddegau eraill yn ein paratoi amdani ac yn arwain ati.

  - Defnyddiwch y brawddegau eraill i ddweud mwy am y brif frawddeg neu i arwain ati.

  - Os byddwch wedi sgrifennu paragraff a sylweddoli bod mwy nag un prif syniad ynddo, rhannwch ef yn fwy o baragraffau.

- **Atalnodwch yn ôl y synnwyr a'r ystyr**

  - Os byddwch yn ysgrifennu brawddegau byr, ni fyddwch yn cael cymaint o broblemau atalnodi.

  - Atalnodwch lle byddech yn stopio neu'n cymryd eich gwynt wrth siarad.

  - Weithiau, byddwch yn atalnodi mewn ffordd arbennig er mwyn pwysleisio rhywbeth hefyd.

  - Os byddwch yn cael trafferth i wybod ble i osod coma neu atalnod llawn, darllenwch y gwaith yn uchel.

  - Os mai toriad byr sydd ei angen, rhowch goma yno. (,)

  - Bydd atalnod llawn yn rhoi toriad hirach i chi. (.)

  - Os byddwch eisiau rhoi sylw (sydd heb fod yn rhy hir) am rywbeth yr ydych newydd ei sgrifennu, rhowch ef mewn cromfachau. ( )

  - Ar y llaw arall – er mwyn rhoi'r argraff o ysgrifennu mwy agored – defnyddiwch ddau dash i wahanu'r sylw oddi wrth y brif frawddeg. (–)

  - Os byddwch eisiau cysylltu dwy frawddeg fer gyda'i gilydd, defnyddiwch semi-colon; bydd hwn yn rhoi toriad hirach na'r coma ond un byrrach na'r atalnod llawn. (;)

  - Os byddwch eisiau pwysleisio gair, tanlinellwch neu defnyddiwch **brint trwm** neu LYTHRENNAU BRAS.

  - Pan fyddwch eisiau pwysleisio gosodiad hirach neu frawddeg gyfan, defnyddiwch y rhyfeddnod (*exclamation mark*)! (Unwaith yn unig a dim yn rhy aml!!!)

  - Pan fyddwch yn cyflwyno rhestr o eitemau neu bwyntiau sy'n cysylltu â'i gilydd, defnyddiwch bwyntiau bwled.

- **Mesur pa mor ddarllenadwy yw'r gwaith**

  - (a) Cyfrwch faint o frawddegau llawn sydd gennych.

  - (b) Cyfrwch faint o eiriau 3 sillaf neu fwy sydd gennych

  - (c) Rhannwch (b) gyda (a) ac fe gewch wybod beth yw cyfartaledd y geiriau hir sydd gennych mewn brawddeg.

Os yw'r cyfartaledd (y Cyniferydd Cymhlethdod neu CC) yn 4 neu fwy, yna mae eich ysgrifennu'n fwy anodd na'r rhan fwyaf o nofelwyr yn yr iaith Saesneg. Ar gyfer y 3 brawddeg (a) i (c), mae 3 brawddeg lawn a 2 air tair sillaf neu fwy (*frawdd-eg-au* a *cyf-ar-tal-edd*). Y CC felly yw 2 wedi'i rannu â 3 = .75 Ewch at bapur newydd, cylchgrawn neu lyfr a phrofwch pa mor gymhleth yw'r gwaith i'w ddarllen.

- **Cyflwyno'ch gwaith a'r ffordd y mae wedi'i osod ar y papur**

Un ochr i'r stori yw cael syniadau da wedi'u hysgrifennu'n glir ac yn eglur. Mae'r ffordd y mae'r gwaith yn edrych ar y papur yn helpu'r darllenwr i weld sut mae'r syniadau'n cysylltu â'i gilydd. Felly, mae angen rhoi sylw i'r ffordd y byddwch yn cyflwyno'ch gwaith a'i osod ar y papur. I'ch helpu, dyma rai cwestiynau y gallwch eu gofyn i chi'ch hun.

- Ydi hi'n glir, wrth gael un cipolwg brysiog, beth mae'r gwaith yn ei drafod?

- Faint o help fyddai o i'r darllenwyr petawn i'n rhoi penawdau neu is-benawdau yn y gwaith?

- Fyddai'n well i mi helpu mwy arnyn nhw trwy ddefnyddio print trwm, priflythrennau a.y.y.b i ddangos y gwahaniaeth rhwng y penawdau a'r is-benawdau?

- Ydi'r paragraffau'n ddigon byr?

- Ddylwn i rifo'r paragraffau e.e. 1, 2, 3 a.y.y.b. neu 1.1, 1.2, 1.3 a.y.y.b?

- Fyddai'r cynnwys yn gliriach wrth wneud rhestr fel hon, gyda phwyntiau bwledi yn hytrach nag un paragraff hir?

- Fyddai graffiau, tablau neu ddiagramau yn helpu'r darllenwr i ddeall? A fyddent yn well yn lle'r paragraffau neu gyda'r paragraffau?

- Fyddai rhoi rhannau o'r gwaith mewn bocsys yn help?

- Oes eisiau i mi ddefnyddio PRIFLYTHRENNAU, **print trwm** neu <u>danlinellu</u> i bwysleisio rhai geiriau? (Peidiwch â gwneud gormod o hyn gan y gallai fynd yn fwrn.)

- Ydi'r llinellau'n rhy hir? (Mae llinellau o fwy na tua 65 llythyren - neu lythrennau a bylchau - yn gallu mynd yn anodd i'w darllen.)

- Oes 'na ddigon o le rhwng y llinellau? (Os yw'r llinellau'n hir, mae angen mwy o le rhyngddynt.)

- Oes 'na ddigon o le gwyn o amgylch yr ymylau (*margins*)? Mae'n bwysig peidio â rhoi'r argraff bod gormod o brint ar y dudalen.

- **Os yw'r gwaith neu'r ddogfen yn hir, a oes:**

    - angen tudalen gynnwys?
    - angen crynodeb?
    - angen mynegai?
    - modd rhoi atodiad, fel y gallai rhywun ddewis darllen peth o'r gwaith yn hytrach na darllen y cyfan?

Yn y rhan nesaf, byddwn yn manylu mwy ar rai o'r dulliau hyn ac yn cynnig enghreifftiau o ffurflenni, taflenni, llyfrau a llyfrynnau i chi feddwl amdanyn nhw.

_____

CYMRAEG CLIR

RHAN 2 - MANYLU

1 ATALNODI

Os na fyddwch yn atalnodi'n effeithiol, byddwch yn gwneud y darn yr ydych yn ei sgrifennu yn fwy anodd i'r un sy'n darllen ei ddilyn a'i ddeall yn gywir. Mae llawer o broblemau'n codi oherwydd mai'r unig atalnodi clir yw'r llythyren fawr a'r atalnod llawn (*full stop*). Cofiwch mai helpu'r un sy'n darllen i ddeall eich ystyr chi yw pwrpas atalnodi. Rhai o'r marciau (neu nodau) y gallwch eu defnyddio yw:

- priflythrennau
- atalnod llawn (full stop) < . >
- atalnod (coma) < , >
- hanner colon (semicolon) < ; >
- colon (colon) < : >
- dyfyn-nodau (inverted commas) < **""** > neu < **"** >
- collnod (apostrophe) < **'** >
- cyfres o ddotiau < **...** >
- llinell sengl (dash) < **–** >
- ebychnod / rhyfeddnod (exclamation mark) < **!** >
- marc cwestiwn (question mark) < **?** >

Canllawiau yw'r adrannau sy'n dilyn. Mae'n siwr y gwelwch lyfrau sy'n rhoi mwy o fanylion ond gobeithio y bydd y canllawiau yma yn eich helpu chi i sgrifennu Cymraeg clir a syml. Rhaid defnyddio rhai termau gramadegol wrth esbonio. Os nad ydych yn deall rhai o'r termau hyn peidiwch â phoeni, bydd yr enghreifftiau yn eich helpu i ddeall. Mae esboniad syml o rai o'r termau hyn ar gael ar y We –

http://www.bangor.ac.uk/ar/cb/gloywi/adran1cynnwys.htm

ac yn yr Atodiad ar ddiwedd y llyfryn yma.

1.1 PRIFLYTHRENNAU

COFIWCH EI BOD YN FWY ANODD DARLLEN PARAGRAFFAU CYFAN SYDD WEDI CAEL EU HYSGRIFENNU MEWN PRIFLYTHRENNAU. MAE RHAI POBL YN PRINTIO FEL HYN DRWY'R AMSER GAN FEDDWL BOD Y LLAWYSGRIFEN YN HAWS I'W DARLLEN. CAMSYNIAD YW HYNNY, GAN EICH BOD YN RHOI MWY O BROBLEMAU ADNABOD GEIRIAU I'R DARLLENWR AC YN ARAFU'R DARLLEN. Gobeithio bod y paragraff bach yma'n profi'r pwynt - peidiwch ag ysgrifennu brawddegau a pharagraffau cyfan mewn priflythrennau.

Pryd fyddwn ni'n defnyddio priflythrennau?

- ar ddechrau brawddegau newydd
- wrth gychwyn sgwrs neu'n union ar ôl dyfyn-nodau dwbl

- mewn enwau priod (h.y. enwau personau, lleoedd a phethau penodol e.e. Dafydd, Mr. Williams, Llanllechid, Y Llywodraeth), ac i sgrifennu misoedd y flwyddyn a dyddiau'r wythnos

- mewn ansoddeiriau sy'n dod o enwau, fel Seisnig, Ffrengig, Fictoraidd

- yng ngair cyntaf a phrif eiriau unrhyw fath o deitl:
  ◊ llyfrau, dramâu, cerddi e.e. 'Un Nos Ola' Leuad', 'Yr Haf'
  ◊ ffilmiau, rhaglenni teledu e.e. 'Pobol y Cwm', 'Y Golled'
  ◊ papurau newydd a chylchgronau e.e. 'Golwg', 'Barn'
  ◊ enwau llongau, tai, tafarnau e.e. Tŷ Newydd, Y Tudno
  ◊ teitl llawn person e.e. Archesgob Cymru, Dirprwy Is Ganghellor, Dug Caeredin, ond os byddwch yn cyfeirio atynt fel yr archesgob neu y dug, peidiwch â rhoi'r priflythrennau
  ◊ teitl sefydliad neu fusnes e.e. Y Llyfrgell Genedlaethol, Merched y Wawr
  ◊ byrfodd neu ffurf fer teitlau e.e. A.S..

- ar ddechrau llinellau barddoniaeth (er bod tuedd erbyn heddiw i rai beirdd beidio â rhoi priflythyren ar ddechrau pob llinell)

- wrth gyfeirio at Dduw e.e. Ein Tad ...sancteiddier Dy Enw

- deddfau e.e. Y Deddfau Uno, Deddf y Tlodion

- unrhyw 'label' sydd wedi tyfu o enw priod e.e. Marcsaidd, Thatcheraidd

- gwledydd: rhowch briflythyren hefyd yn Gogledd, De, Gorllewin a Dwyrain os ydynt yn rhan o enw'r wlad e.e. De Affrica, Gogledd Iwerddon

- rhai cyfnodau mewn hanes e.e. Y Dadeni, cyfnod Y Pla Du.

COFIWCH

Does dim angen i chi roi priflythyren mewn geiriau fel rheolwr, llywodraeth, rheolwr llwyfan **a.y.y.b os nad ydych yn rhoi'r teitl yn llawn. Felly, os byddwch yn ysgrifennu** Cyngor Ceredigion**, rhowch briflythrennau. Ond os byddwch yn cyfeirio ato fel** y cyngor**, yna peidiwch â rhoi priflythrennau.**

1.2 ATALNOD LLAWN

a Dyma'r marc a ddefnyddiwn **ar ddiwedd brawddeg** (ar wahân i frawddegau sy'n gorffen mewn ? neu !).

Mae brawddeg yn cynnwys nifer o eiriau sy'n creu ystyr llawn. Weithiau un gair fydd mewn brawddeg e.e. "Helo." Dro arall, mae'n gallu cynnwys 40 - 50 neu fwy o eiriau.

b Byddwn yn ei ddefnyddio hefyd i **ddangos bod gair wedi ei dalfyrru**, h.y. ein bod wedi gollwng rhai llythrennau e.e. h.y. a.m. a.y.y.b.

Cofiwch mai **Br/Mr** neu **Dr** (heb yr atalnod llawn) sy'n cael eu defnyddio fel arfer, am fod y llythyren olaf yn dal yn rhan o'r talfyriadau yma. Yn aml hefyd, byddwn yn ysgrifennu talfyriadau fel **UCAC** neu **BBC** heb yr atalnod llawn am mai talfyriadau wedi eu llunio o briflythrennau ydyn nhw.

c Weithiau, defnyddiwn gyfres o ddotiau e.e. ... i ddangos bod rhan o'r frawddeg neu ychydig o eiriau ar goll.

1.3 ATALNOD (COMA)

a Wrth gyflwyno rhestr, byddwn yn defnyddio'r coma i wahanu geiriau, ymadroddion neu gymalau (h.y. rhannau hirach o'r frawddeg):

- enwau e.e. Roedd ganddo lyfrau, pensiliau, papur, crib a phethau da yn ei fag.
- ansoddeiriau e.e. Merch dawel, fonheddig, dal, olygus oedd hi.
- adferfau e.e. Roedd yn rhaid iddi weithio'n galed, yn gydwybodol, yn effeithiol ac yn gyflym i gael y gwaith yn barod mewn pryd.
- cyfres o ymadroddion e.e. Cawsom ddiwrnod hyfryd yn y wlad, yn loetran yn y caeau, yn dili-dalio ar y llwybrau, ac yn diogi mewn tafarn.
- cyfres o ferfau neu gymalau e.e. Rhedodd ar hyd y llwybr, sgrialu ar hyd y cerrig mân, rhuthro dros y gwair, a dringo wyneb y graig i'r brig.

(Sylwch - gyda rhestr o eiriau (enwau, ansoddeiriau ac adferfau) peidiwch â rhoi coma yn union o flaen yr a / ac. Gyda chyfres o ymadroddion neu gymalau lle mae nifer o eiriau yn dod rhwng y comas, gallwch roi coma yn union o flaen yr a / ac)

b Lleoedd eraill (ar wahân i restrau) lle byddwn yn defnyddio'r coma yw:

- rhwng dau (neu fwy) gymal hir pan fyddwn yn defnyddio a / ac / ond, i'w cysylltu e.e. Aeth nifer o blant o'r ysgol ar drip i Gaerdydd yn ddiweddar, ac aeth chwech athrawes gyda nhw, ond pump yn unig a ddaeth yn ôl.

- pan fyddwn yn ychwanegu gwybodaeth am rywbeth e.e. Daeth Siân, chwaer hynaf Emyr, â dwy het newydd, rhai coch a glas, o Fangor. Mae gwybodaeth bellach am Siân a'r hetiau'n cael ei hychwanegu a defnyddiwn y comas i'w gwahanu oddi wrth y brif frawddeg: Daeth Siân â dwy het newydd o Fangor.

- wrth ddefnyddio geiriau fel felly, ar y llaw arall, er hynny, ysywaeth mewn brawddeg e.e. Doedd dim bws ar gael i fynd i'r traeth, felly, aeth Eirian i'r dref. Mae rhai'n rhoi comas o flaen ac ar ôl y felly mewn brawddeg fel hon. Cofiwch roi'r coma ar ôl y Felly pan ddaw ar ddechrau brawddeg hefyd: Felly, aeth Eirian i'r dref.

- wrth wahanu person sy'n cael ei gyfarch oddi wrth weddill y geiriau e.e. Gwylia, Dafydd, mae'r tarw ar dy ôl di! Paid ti, y ffŵl gwirion, â gwneud hyn eto!

- wrth roi geiriau sy'n ychwanegiad i'r brif frawddeg e.e. Dydd Sadwrn, fel y gŵyr pawb, yw'r diwrnod chwaraeon yng Nghymru. Mae angen rhoi'r coma o flaen ac ar ôl y geiriau hyn. (Gallwch ddefnyddio cromfachau neu linell sengl (dash) yn lle'r comas yn yr achos yma.)

- i wahanu geiriau fel ie, ydw, na, os gwelwch yn dda a.y.y.b. oddi wrth y gweddill e.e. Wel, na, smo fi'n gallu dod, diolch yn fawr i chi.

- o flaen ymadroddion fel yn tydi? neu (yn) dych chi? pan fyddwn yn eu hychwanegu ar ddiwedd brawddeg e.e. chi'n cytuno â fi ynglŷn â hyn, yn dych chi?

- i wahanu cymalau adferfol h.y. cymalau sy'n cychwyn gyda geiriau fel os, pan, oherwydd, am fod, cyn a.y.y.b. Oherwydd bod y ffair yn y dre ar yr ail o'r mis, bydd yr ysgol wedi cau, er mwyn i chi fynd yno.

- i wahanu cymal perthynol sydd yn cynnig sylw, oddi wrth weddill y frawddeg e.e. Cafodd y merched, a oedd yn ysmygu, eu hanfon o'r ysgol. Cynnig sylw am yr holl ferched a wna'r cymal yn y frawddeg yna. Ond yn y frawddeg sy'n dilyn, mae'r ystyr yn newid oherwydd yr atalnodi. Cafodd y merched a oedd yn ysmygu, eu hanfon o'r ysgol. Yma dim ond y rhai a oedd yn ysmygu a gafodd eu hanfon o'r ysgol.

1.4 HANNER COLON (SEMICOLON) < ; >

a Byddwn yn defnyddio'r hanner colon i wahanu cymalau sy'n agos iawn at ei gilydd o ran ystyr. Ar wahân i'r agosrwydd yma gallech roi atalnod llawn rhyngddynt. Dyma rai enghreifftiau:

- pan mae'r ail gymal yn ehangu ar y cyntaf neu'n ei esbonio: Wnaeth yr un ohonon ni symud; dim ond aros yn berffaith llonydd i ddisgwyl i'r heddlu adael.
- pan mae'r cymalau'n disgrifio cyfres o ddigwyddiadau neu wahanol agweddau ar yr un peth e.e. Roedd yr awyr yn glir; y gwynt yn finiog, oer; y ddaear yn galed dan draed.
- i awgrymu gwrthgyferbyniad e.e. Rwy' wrth fy modd gyda steddfode; ma'n gas gan fy whar n'w.

b Defnyddiwn yr hanner colon hefyd i wahanu nifer o gymalau neu ymadroddion, sydd eu hunain, yn cynnwys comas e.e. I fynd i gerdded yr wythnos nesaf, byddwch angen esgidiau, trymion os yn bosib; dillad cynnes fel siwmper wlân, trowsus llaes, côt law ysgafn; diod mewn potel blastig a bwyd maethlon, ysgafn i'w gario.

1.5 COLON (COLON) < : >

Byddwn yn defnyddio'r colon:

- i gyflwyno rhestr (mewn ffordd fwy cryno na 1.4b) dyfyniad neu araith e.e. Dyma'r pethau y bydd arnoch eu hangen: esgidiau cryfion, crys gwlân, côt law, diod a bwyd. Cychwynnodd y prifweinidog ei araith: " Gyfeillion a chyd-aelodau'r blaid, pleser i mi…"

- o flaen cymal sy'n esbonio'r gosodiad o'i flaen; yn lle hynny yw e.e. Rydym yn berffaith sicr o un peth: fydd neb ar ôl yn y dref ddiwrnod y trip.

- i wahanu'r ddwy elfen mewn enghraifft o wrthgyferbynnu cryf iawn e.e. Y gwanwyn sy'n rhoi bywyd: y gaeaf sy'n lladd.

- i gyflwyno uchafbwynt neu ddiweddglo e.e. Ar ôl ystyriaeth ddwys, gwnaeth ei benderfyniad terfynol: gadael y tîm. (Defnyddio'r colon yn lle gair fel sef)

- i bwysleisio cysylltiad e.e. Dafydd gafodd y swydd: ei dad yw cadeirydd y llywodraethwyr er nad oedd yn y cyfweliad.

1.6.1 DYFYN-NODAU DWBL (DOUBLE INVERTED COMMAS) < " " >

Fel rheol, defnyddiwn y dyfyn-nodau dwbl wrth ddechrau ysgrifennu union eiriau rhywun (mewn araith union) e.e. Ateb Sioned oedd, "**Wel** ydw, siwr iawn, be' wyt ti'n ei feddwl?"

Cofiwch fod angen prif lythyren yn union ar ôl y dyfyn-nodau dwbl sydd ar y dechrau.

Pan fyddwch chi'n cychwyn gyda geiriau rhywun, yn torri ar eu traws i roi sylw yn eich geiriau eich hun ac yna'n gorffen gyda geiriau'r person arall, - nid oes angen prif lythyren yr ail waith e.e. "Tyrd yma," gwaeddodd yr athro'n gas, "**ble** mae dy ddillad chwaraeon di?"

1.6.2 DYFYN-NODAU SENGL (SINGLE INVERTED COMMAS) < ' ' >

Defnyddiwn y dyfyn-nodau sengl:

- wrth ddyfynnu (h.y. cynnwys union eiriau dogfen neu gerdd a.y.y.b.) e.e. Un o amcanion Bwrdd yr Iaith Gymraeg yw, 'Cynyddu niferoedd plant 3 oed sy'n siarad Cymraeg yn y teulu.' ('Strategaeth ar gyfer yr Iaith Gymraeg,' Mehefin 1995, t.7)
- wrth gyflwyno teitl cerdd, nofel, adroddiad ysgrifenedig a.y.y.b., e.e. Angharad Tomos a ysgrifennodd y llyfr 'Yma o Hyd' ond Dafydd Iwan pïau'r gân. Efallai y byddai cyhoeddwyr yn gofyn am gael teitl llyfr mewn print italig, e.e. 'Yma o Hyd'.
- wrth dynnu sylw at ddefnydd arbennig o air, e.e. Mae rhywbeth yn reit 'wahanol' yn Ifor yn does?
- wrth roi ystyr gair, e.e. 'I fyny' yw ystyr lan yn y De.

1.7 COLLNOD (APOSTROPHE) < ' >

Byddwn yn defnyddio'r collnod i ddangos ein bod wedi gollwng rhai llythrennau, e.e. mae + yr > mae'r. Byddwn yn gwneud hyn ar ddechrau gair weithiau hefyd, e.e. 'sgrifennu (i ddangos ein bod wedi gollwng y).

Rydym i fod i wneud hyn gyda'r **'r**: mae **mae** + **yr** a **mae** + **y** yn newid i **mae'r**.

Fel arfer mae'n digwydd pan mae geiriau fel **yn** neu **ei** yn dilyn llafariaid hefyd, e.e. mae + yn > mae'n; gyda + i > gyda'i.

1.8 CYFRES O DDOTIAU < ...>

Byddwn yn defnyddio'r gyfres yma o ddotiau i ddangos:

- brawddeg neu ymadrodd sydd heb orffen;
- ein bod wedi gollwng rhan o'r frawddeg, yr ymadrodd neu'r dyfyniad;
- saib rhwng y geiriau neu'r brawddegau.

1.9 LLINELL SENGL (DASH) < – >

Byddwn yn defnyddio **dwy linell** wrth gynnwys rhyw sylw ychwanegol o fewn brawddeg, e.e. Flwyddyn diwethaf – roeddwn ar fy ngwyliau ar y pryd – y sylwais i arno gyntaf. Mae'r anifeiliaid i gyd – y moch, yr ieir, y defaid a'r gwartheg – wedi cael eu cario mewn lori i'r sioe.

Defnyddiwn **un llinell**:

- pan fyddwn yn newid cyfeiriad yn sydyn yng nghanol brawddeg e.e. Roedd trannoeth yn ddiwrnod hollol wahanol - ond stori arall yw honno.

- i bwysleisio gair trwy ei ailadrodd e.e. Rhaid i ni fod yn falch o'r fuddugoliaeth - buddugoliaeth sy'n rhoi parch yn ôl i ni.

- wrth gysylltu nifer o eitemau gyda'i gilydd e.e. Tywydd sych, awyr glir, camera gweddol dda a llonydd - dyma'r pethau sydd eu hangen arnoch i dynnu lluniau yn Eryri.

- gyda colon i gyflwyno rhestr, (er bod colon ar ei ben ei hun yn cael ei ddefnyddio'n amlach heddiw) e.e. yr enwau mwyaf cyffredin yng Nghymru yw:-

    Siân
    Dafydd
    Mair
    John...

1.10 EBYCHNOD / RHYFEDDNOD (EXCLAMATION MARK) < ! >

Byddwn yn defnyddio'r ebychnod i gyfleu syndod, dychryn neu i rybuddio e.e. Tân!   Tân!

Weithiau defnyddiwn yr ebychnod i fod yn sarcastig neu i nodi hiwmor e.e. Un da wyt ti i gwyno!

1.11 MARC CWESTIWN (QUESTION MARK) < ? >

Byddwn yn defnyddio'r marc cwestiwn ar ddiwedd pob cwestiwn uniongyrchol e.e. O ble y doist ti heddiw?

Defnyddiwn ef hefyd ar ôl y math o gwestiwn y byddwch yn ei ofyn i chi'ch hun bron ac sy'n dilyn y gair *oni* e.e. Oni fyddai'n well i mi fynd i'r dref heddiw?

Cofiwch beidio â'i ddefnyddio mewn cwestiwn anuniongyrchol e.e. Gofynnodd Siân a fyddai'n well iddi aros am y tacsi. (Yma, rhywun arall sy'n ail eirio cwestiwn Siân, felly, nid cwestiwn uniongyrchol ydi o.)

Un peth yw cael syniadau da a gallu eu cyfleu'n effeithol wrth ysgrifennu. Rhaid rhoi sylw hefyd i sut mae'r gwaith gorffenedig yn edrych. A yw'r ffordd y mae wedi'i gosod yn helpu'r darllenydd i gael at y wybodaeth bwysig yn sydyn. I'ch helpu i ganolbwyntio ar yr agweddau yma, gallwch ofyn rhai o'r cwestiynau sy'n dilyn i chi'ch hun.

- Wrth gael cipolwg sydyn ar y gwaith, ydych chi'n cael syniad am beth mae o'n sôn e.e. oherwydd teitl neu bennawd i lythyr?

- Fyddai pennawd neu is-bennawd yn helpu'r darllenwr?

- Ddylwn i ddangos y gwahaniaeth rhwng pennawd ac is-bennawd trwy ddefnyddio llythrennau bras a llythrennau cyffredin?

- Ydi fy mharagraffau fi'n ddigon byr?

- Oes angen i mi rifo'r paragraffau? e.e. gyda 1, 2, 3, a.y.y.b. neu gyda 1.1, 1.2, 1.3, 2.1, 2.2 a.y.y.b.

- Fyddai hi'n haws i mi gyflwyno fy neges trwy ddefnyddio pwyntiau (fel sy'n digwydd yn yr adran hon) yn hytrach na pharagraff?

- Oes angen i mi ddefnyddio tablau, graffiau neu ddiagramau yn lle (neu yn ogystal ag) ysgrifen?

- Fyddai hi'n help petawn i'n rhoi peth o'r deunydd mewn bocsys?

- Oes angen i mi bwysleisio rhai geiriau trwy <u>danlinellu</u> neu ddefnyddio LLYTHRENNAU BRAS?

- Ydi'r llinellau teip yn ddigon byr i'w darllen yn rhwydd? (Mae llinellau gyda mwy na 65 llythyren neu ofod i'r llinell, yn gallu bod yn anodd i'w darllen.)

- Oes digon o le rhwng y llinellau? (Os yw'r llinellau print yn hir, mae angen mwy o fwlch rhyngddynt.)

- Oes digon o ofod o amgylch ymyl y dudalen? (Os yw'r dudalen yn edrych fel petai gormod o brint arni, mae'n anodd i'r darllenydd gael ei ddenu ati.)

- Os yw'r gwaith yn weddol hir:

  ◊ oes angen i chi roi tudalen gynnwys?
  ◊ crynodeb o'r gwaith?
  ◊ mynegai?
  ◊ atodiad fel bod rhan o'r gwaith yn cael ei osod yno yn hytrach nag yn y prif waith ei hun?

- Ddylech chi gyflwyno'r gwaith mewn ffolder neu roi clawr arbennig amdano?

Edrychwch ar y paragraffau sydd yn y bocs a chymharwch nhw gyda'r adran sy'n dilyn.

Beth yw'r gwahaniaethau?

Beth fyddech chi'n ei wneud yn wahanol a pham?

> Wrth gynllunio dogfen mae'n bwysig eich bod yn ystyried ei phwrpas a'r gynulleidfa. Dylech ofyn i chi'ch hunain beth yw dyfnder eu gwybodaeth am y maes dan sylw, i ba bwrpas y byddant yn defnyddio'r ddogfen, pa agweddau y byddant yn disgwyl iddi eu cynnwys a pha agweddau sy'n amherthnasol. Os mai eich rheolwr sydd wedi gofyn i chi ei hysgrifennu dylech gadarnhau gydag ef/hi beth yn union y mae yn ei ddisgwyl i chi ei gynhyrchu. Bydd yn cymryd amser i chi sicrhau y byddwch yn gallu rhoi iddo'r hyn y mae yn ei ddisgwyl.
>
> Yna dylech ofyn i chi'ch hun ar ba ffurf y byddwch yn ei chyflwyno; beth fydd ei hyd; a fydd cynnwys graffiau, tablau neu ddiagramau'n fuddiol; a ydych yn mynd i rwymo'r ddogfen ar y diwedd. Os yw'r gwaith yn mynd i gael ei ddefnyddio gan rywun sydd tu allan i'r adran yr ydych yn gweithio ynddi a oes dull cydnabyddedig o'i chyflwyno?

2.1 CYNLLUNIO DOGFEN

Beth yw ei phwrpas a beth fydd disgwyliadau'r gynulleidfa?

Gofynnwch y cwestiynau hyn i chi'ch hun:

- beth yw ei phwrpas?
- pwy sy'n mynd i'w darllen?
- faint o wybodaeth sydd ganddyn nhw am y maes?
- i ba bwrpas fyddan nhw'n defnyddio'r ddogfen?
- pa agweddau/pwyntiau fyddan nhw'n disgwyl i mi eu cynnwys?
- beth fydd yn amherthnasol i'r mwyafrif?
- sut fath o ddogfen mae fy rheolwr yn ei disgwyl?

Beth fydd ffurf y ddogfen?

- pa mor hir fydd hi?
- a fyddaf yn cynnwys graffiau, tablau neu ddiagramau? (a fyddant yn ychwanegol at y testun neu yn lle'r testun?)
- a fydd hi'n cael ei defnyddio y tu allan i'r adran?
- beth fydd y fformat o ran cyflwyno?

Mae faint o eiriau tafodieithol y gallwch eu defnyddio yn dibynnu ar nifer o bethau:

- ar gyfer pwy mae'r gwaith?
- a fydd eich darllenwyr yn byw mewn un rhan o'r wlad lle bydd pawb yn deall y geiriau tafodieithol?
- beth yw natur y gwaith yr ydych yn ei gynhyrchu? h.y. a yw'n adroddiad swyddogol, ffurflen a fydd yn cael ei defnyddio ledled Cymru, llythyr at rywun yr ydych yn ei adnabod yn dda, adroddiad llafar ar gyfer radio, adroddiad llafar ar gyfer pobl yr ydych yn eu hadnabod yn dda a.y.y.b.

Ar gyfer pwy mae'r gwaith?

Mae eich cynulleidfa (h.y. y rhai fydd yn darllen eich gwaith) yn gallu amrywio. Dyma enghreifftiau o'r mathau o gynulleidfa y gallech eu cael:

a) pobl Cymru i gyd
b) pawb yn un rhan o'r wlad e.e. pawb yn Nhrefaldwyn
c) pawb mewn pentref neu dref
ch) pobl yr ydych yn eu hadnabod yn dda e.e. aelodau o'r un gymdeithas, pwyllgor neu gyngor cymuned
dd) teulu neu gyfeillion
e) teulu neu gyfeillion agos

Wrth sgrifennu ar gyfer **a)** byddai disgwyl i chi ddefnyddio Cymraeg safonol.

Gallwch ddefnyddio mwy o eiriau tafodieithol yn **b)** ac **c)** gan y bydd pawb yn dod o'r un ardal yn fras a byddent yn deall y dafodiaith leol.

Gallwch lacio eto yn **ch)** os yw'r gwaith yn cael ei ddarllen gan aelodau'r gymdeithas yn unig. Os yw'n cael ei anfon ymlaen i'r mudiad yn genedlaethol efallai y dylech fod yn llai tafodieithol. Mae'n dibynnu hefyd ar natur y drafodaeth; os mai trafod pêl droed y mae'r llythyr, gallwch ddefnyddio geiriau tafodieithol ond efallai na fyddech yn gwneud cymaint o hynny mewn cofnodion cyngor cymuned.

Yn achos **dd)** ac **e)** gallwch wneud fel y mynnoch. Rydych yn adnabod y gynulleidfa'n dda a gallwch sgrifennu'n union fel y byddwch yn siarad os dymunwch. (Dach chi'n nabod ych crowd chi'ch hun yn dda a mi gewch chi sgwennu fath yn union â dach chi'n siarad os dach chi isio.) Os bydd yr un llythyr neu nodyn yn mynd at nifer o berthnasau a chyfeillion efallai y byddwch yn llai tafodieithol ac anffurfiol.

Beth yw natur y gwaith?

Bydd eich iaith mewn cofnodion pwyllgor yn fwy ffurfiol na'ch iaith mewn llythyr at gyfaill. Ar ddechrau'r llyfryn yma, roedd rhestr o wahanol fathau o ysgrifennu:

a) sgrifennu llythyrau at y cyhoedd;
b) llunio ffurflenni o unrhyw fath;
c) llunio taflenni neu lyfrynnau sy'n rhoi gwybodaeth, cyfarwyddiadau, rheolau a.y.y.b.
ch) addasu deunydd Saesneg i'r Gymraeg;

d) cyfieithu deunyddiau o'r Saesneg (neu unrhyw iaith arall) i'r Gymraeg;

dd) llunio adroddiadau;

e) llunio hysbysebion, erthyglau papur newydd a.y.y.b.

f) sgrifennu cofnodion ar ôl pwyllgorau;

ff) anfon nodyn, *memorandwm* neu gyfarwyddiadau a.y.y.b. at gydweithwyr;

g) defnyddio'r cyfrifiadur i anfon llyth-el (*e-mail*).

Gallwch ychwanegu atynt:

ng) llythyrau at gyfeillion a pherthnasau;

h) dyddiadur

i) stori

Rhannwch y mathau yma o sgrifennu yn 3 dosbarth:

A. sgrifennu reit ffurfiol heb eiriau tafodieithol

B. sgrifennu llai ffurfiol gyda llawer o eiriau tafodieithol

C. sgrifennu anffurfiol lle y caf sgrifennu bron fel y bydda i'n siarad

Os ydych yn ei chael hi'n anodd penderfynu rhwng dau o'r categorïau yma rhowch y ddwy lythyren.

Sut mae tafodiaith yn gallu bod yn wahanol i iaith led ffurfiol?

(Mae erthygl Morris Jones, 'The Present Condition of the Welsh Language' yn y llyfr '*The Welsh Language Today*' yn rhoi sylw i rai o'r gwahaniaethau yma a defnyddir rhai o'i ddosbarthiadau a'i enghreifftiau yma.)

i **defnyddio geiriau gwahanol** e.e. cyrtens, cyrtans yn hytrach na llenni; iwsio (defnyddio); ffrindia, ffrins, ffrindie (cyfeillion); lein (llinell); smocio, smoco (ysmygu); stesion (gorsaf); stryd, hewl (heol); trïo (ceisio)

ii **defnyddio rhai geiriau Saesneg** sy'n swnio'n weddol dderbyniol mewn brawddeg Gymraeg e.e. ffrij, hot dog, fire-lighter, tsips neu tsipsen

iii **defnyddio seiniau gwahanol** e.e. falle, ella (efallai); ware, whare, chwara (chwarae); gweid, deud (dweud);

iv **geirfa** (sy'n gallu bod yn wahanol rhwng y De a'r Gogledd) e.e. efo/gyda; allan/mas; i fyny/lan; fo/fe; mi/fe; llaeth/llefrith; gwrych/shetin/perth; mefus/ syfi; cwsberis/gwsbris/ffebrins; yw/ydyw; mai/taw;

v defnyddio **ffurfiau berfol gwahanol** e.e. bysa, buase, bydde yn hytrach na buasai; dwi, rwy i, rydw i, rwyf fi (yr wyf fi); ganith o, ganiff e, cana (fe gân ef)

vi **cystrawen (neu batrwm y frawddeg)** e.e. Mae gen i lyfr / Ma llyfr da fi – yma, y ffurf ogleddol sy'n safonol a'r ffurf ddeheuol yn wahanol; mae'r gwrthwyneb yn gallu digwydd hefyd, – Ma(e) dyn ar y goeden / Ma na ddyn ar y goeden.

vii **arfer gwahanol sy'n annerbyniol yn yr iaith ffurfiol** e.e. 'y llyfr hyn' fyddai un o'r tafodieithoedd deheuol yn ei ddweud gyda'r enw unigol (llyfr) yn cael ei ddilyn gan ragenw dangosol lluosog (hyn); mae hynny'n anghywir mewn iaith ysgrifenedig lle disgwylid 'y llyfr hwn'. 'Rhoddodd y llyfr i'w fam' sy'n dderbyniol yn ysgrifenedig ond byddai un o dafodieithoedd y de'n dweud 'Rhoddodd y llyfr iddi fam.'

viii ffurfiau'r ferf - Un o'r gwahaniaethau mwyaf amlwg rhwng yr iaith lafar a'r iaith ysgrifenedig yw'r ffurfiau berfol a ddefnyddiwn. Y duedd wrth sgrifennu yw defnyddio'r ffurf fer e.e. 'Â Dafydd a'i chwaer i'r ysgol gyda'r tacsi bob dydd.' Byddai'r ferf 'â' yn swnio'n rhy ffurfiol yn llafar, felly byddwn yn dueddol o ddweud, 'Ma Dafydd a'i chwaer yn mynd i'r ysgol efo tacsi bob dydd' neu 'Ma Dafydd a'i whâr yn mynd i'r ysgol bob dydd da tacsi'. Yn lle 'cerddais yma' y duedd yw defnyddio rhywbeth fel, 'mi wnes i gerddad yma', 'mi ddaru mi gerddad yma', 'wi weti cered ma'. Weithiau, bydd rhai'n defnyddio ffurf fer y person cyntaf ond gyda therfyniad mwy llafar, e.e. 'gerddes i ma', 'gerddis i yma'. Ond wrth ddefnyddio amseroedd a phersonau eraill y ferf, y duedd amlwg yw defnyddio'r ffurf hir wrth siarad.

ix defnyddio'r rhagenw ôl (sef y geiriau sy'n dilyn berf, arddodiad a.y.y.b.) yn amlach yn llafar e.e.

gwelais i	gwelsom/n ni
gwelaist ti	gwelsoch chi
gwelodd ef/hi	gwelsant hwy/nhw

Tuedd yr iaith ysgrifenedig yw peidio â defnyddio'r rhagenw yma a dibynnu ar y ferf neu'r arddodiad i nodi'r person e.e. 'Gwelais lawer o bethau yn Llundain.' 'Anfonaf air atoch.' Tuedd yr iaith lafar os yw'n cadw ffurf fer y ferf yw ychwanegu'r rhagenw ôl e.e. 'Welis i lot o betha yn Llundan.' Byddai'n ei ychwanegu ar ôl yr arddodiad hefyd e.e. 'Mi anfona i air atach chi.'

Mae Morris Jones yn trafod y syniad o gael iaith lafar safonol yn Gymraeg ac yn awgrymu bod gormod o wahaniaethau rhwng y de a'r gogledd i hynny ddatblygu. Mae'n debyg mai'r hyn a gawn yw iaith lafar safonol yn y gwahanol dafodieithoedd. Enghraifft dda o hyn yw iaith un fel Huw Llywelyn Davies wrth sylwebu ar gêm rygbi:

…Mae SB reit yno ac yn cosbi'r blaenasgellwr rhyngwladol. JB wedi methu â phob un o'i bedwar cynnig at y pyst hyd yn hyn…Unwaith eto o ryw hanner can llath ond ma'r gwynt a'r awel y tu ôl iddo fe. Unwaith eto mae'n ddigon pell a'r tro yma mae'n llwyddiannus.

…Pwyntia cynta JB…dyna wyth deg ag un iddo fe am y tymor, cyn chwaraewr Maesteg…a dyna Llanelli ar y blaen o unarddeg i ddim…a hynny ar ôl hanner awr cwmws o'r hanner cynta.

…MJ yn uwch na neb. O a MS â pas bach hyfryd at AB ond nath e'n dda i aros ar ei drad yn y dacl yna. Ac odd hi'n beryglus yn wir medda'r dyfarnwr a dyma KP eto, bydda fe'n dwli cal sgôr bach i'w dîm cyn yr hanner - bydda hynny'n gwneud dipyn o wahanieth i betha ond Llanelli sy â'r bêl a dyma y blaenwyr yn brwydro. Ma C yn amlwg wedi'i gythruddo a phiti bod hyn wedi dod i strywa hanner cynta i'w fwynhau ahynny reit ar 'i ddiwedd e. KP at GLl…y pac mewn y tu ôl iddyn nhw a phêl dda i B. MJ eto i dynnu rhagor o'r taclwyr. MM gydag e. Nawr B, - mae tipyn o fomentwm yn yr ymosodiad hwn. KP y capten yn arwain o'r blaen. Wel nawr fe gas B 'i daclo, - odd e'n amlwg yn camsefyll. RE yn fan'na. Odd ei symudiad cystal ag y gwelson ni o ran tân gan Gastell Nedd.

Cic gosb i Gastell Nedd fydd hi'n y diwedd a darlith i LD. KP ar ôl oedi a bygwth yn penderfynu yn y diwedd yn galw ar PT i geisio cal tri phwynt o leia i'r tîm cyn hanner amser. Dyna ni, mae'n edrych yn gic hawdd, ond dyw hi, i rywun sy wedi trosi mor allweddol ar brydiau ag yw PT. Cefnwr Cymru te - reit ar hanner amser. Pwyntiau cynta Castell Nedd. Tair munud wedi mynd dros y deugain a Llanelli ar y blaen nawr o unarddeg yn erbyn tri.

Mae ei iaith yn safonol yn yr ystyr:

- ei bod yn rhydd o eiriau Saesneg
- bod ynddi ffurfiau tafodieithol
- bod yr holl dermau swyddogol yn rhai Cymraeg
- ei bod yn gwbl naturiol.

Efallai ei fod yn batrwm felly o dafodiaith safonol un rhan o Gymru.

Mae meddwl am dafodiaith yn mynd â ni gam ymhellach i feddwl am gywair iaith.

4 BETH YW CYWAIR IAITH?

Ystyr cywair iaith (*language register*), yw'r math o iaith y byddwn yn ei siarad neu'n ei sgrifennu mewn gwahanol sefyllfaoedd e.e. mae'r iaith y byddwch yn ei siarad mewn tafarn neu wrth wylio gêm bêl droed â'ch ffrindiau yn wahanol i'r iaith y byddwch yn ei siarad yn eich gwaith gyda rhywun pwysig e.e.

Be di'r sgôr d'wad?

Wan *nil* iddyn nhw chan.

Dew be ddigwyddodd 'lly?

Mi redodd y *wingar* i lawr y *wing* efo'r bêl, yna dyma fo'n 'i *sentro* hi a'r *sentar fforward* yn codi ac yn 'i *hedio* hi i'r *net*…

Dyna enghraifft o sgwrs wrth wylio gêm bêl droed yn Sir Fôn. Mae'r cywair yn addas ar gyfer y sefyllfa honno er y byddai disgwyl i rywun o Sir Fôn ddweud *rhwyd* am *net*. **Cywair llafar naturiol** ydyw yn cael ei siarad rhwng ffrindiau wrth wylio gêm bêl droed ar b'nawn Sadwrn.

Petai sylwebydd ar y radio'n dweud hyn, byddem yn ei feirniadu. Disgwyliem i'r sylwebydd ddefnyddio **cywair llafar mwy safonol** gan ddweud:

> Fe redodd yr asgellwr i lawr yr asgell gyda'r bêl, yna dyma fo/fe'n ei chroesi a'r blaenwr yn codi gan ei phenio hi i'r rhwyd.

Mae'r **cywair ysgrifenedig** yn gallu bod yn wahanol eto gyda rhai o'r geiriau'n diflannu, e.e.

> Rhedodd yr asgellwr i lawr yr asgell gyda'r bêl, ei chroesi i'r blaenwr a gododd i'w phenio i'r rhwyd.

Mae'r dweud yn fwy cynnil a thyn.

Edrychwch ar y paragraffau hyn a:

- rhowch enw ar y math o gywair sydd yma e.e. ffurfiol, anffurfiol, tafarn, capel a.y.y.b
- pa ffurfiau ieithyddol sy'n helpu i roi'r cywair yma? - (tanlinellwch nhw);
- ystyriwch sut y byddech yn ail sgrifennu'r paragraff gan ei addasu i gywair arall.

> Dwi di dwad i'r lecture ma hiddiw i ddysgu rwbath am iaith. Ma iaith fi dipyn bach yn syspect a ma hi'n anodd diseidio pa bryd dwi fod i iwsio iaith dda. Os na fath beth a iaith dda dwch cos run geiria dach chi'n iwsio pan dach chi'n sgwennu Cymraeg da a pan dach chi'n sgwennu Cymraeg tha fi, - simple Welsh! Eniwê dim hwnna di'r point naci, y point ydi bo rhaid i fi gneud Cymraeg fi'n lot gwell os dwi isio cal job.
>
> Ar ôl iddyn nw cal Welsh Language Act a Referendum bydd hi'n gwaeth o lawar rwan. Rhaid i chi medru siarad Cymraeg i fynd i toilet! Mae nw'n deud i fi bod policemen a bob dim isio Cymraig wan i cal job. Todd fi'm yn gwbod bod nw'n siarad eniwê dim ond hitio chi a deud, " Sign there," ne pwyntio. Rwan bydd nw'n deud," Seiniwch there," a pwyntio. Byd ryfadd di o de.
>
> Dwi'n mynd oddi ar y point rwan tydw. Dwi'n teimlo bod dysgu'r iaith yn iawn yn mynd i fod yn lot o help i pawb, - ella bydd o'n gneud i chi bod yn fwy gofalus efo Susnag chi hefyd. A ma dalld iaith yn helpu chi i iwsio geiria'n well. Medrwch i ddeud petha mewn ffor glyfar, cal dig i mewn yn slei. Medra i ddeud petha wrth bos fi a fydd o'm yn gwbod os dwi'n bod yn catty ne ddim. Ma'n siwr y bydd o'n help mawr i fi dod ymlaen yn y byd.

Yn dilyn Deddf Yr Iaith Gymraeg 1993 sefydlwyd Bwrdd yr Iaith Gymraeg yng Nghaerdydd i ysgogi ac i hybu defnydd o'r Gymraeg mewn bywyd cyhoeddus ledled Cymru ac i blismona'r cynghorau a'r cyrff hynny a gafodd wŷs i sefydlu eu Cynllun Iaith sefydliadol eu hunain. Y mae un adran o fewn y Bwrdd sydd â'r brîff o gysylltu â'r cyrff a'r cynghorau hynny o ddechrau'r broses, i fwrw golwg dros bob drafft, awgrymu newidiadau. Arweinir yr adran honno gan un o'r enw Rhys Dafis.

Y mae adran gyffelyb yn y Bwrdd sy'n delio'n benodol â'r byd addysg. Un o brif ddyletswyddau'r adran hon yw adnabod anghenion y byd addysg cyfrwng Cymraeg / dwyieithog gan greu a noddi prosiectau a fydd yn cyflenwi'r angen. Yn ddiweddar noddwyd astudiaeth ymchwil i ddulliau dysgu ac addysgu dwyieithog yn y sector Addysg Bellach. Cafwyd adroddiad gan yr ymchwilydd yn yr Eisteddfod Genedlaethol a bydd cynhadledd ym mis Tachwedd i gyhoeddi'r canlyniadau ac i drafod prif argymhellion y gwaith. Cynhelir y Gynhadledd bwysig hon yn Aberystwyth.

Yn ogystal, gan yr Adran Addysg mae'r gyfrifoldeb am annog awdurdodau addysg i lunio Cynlluniau Addysg a Hyfforddiant a fydd yn rhoi lle datblygol i'r Gymraeg. Mae siroedd Caerfyrddin a Gwynedd eisoes wedi cwblhau eu cynlluniau drafft ac aethant allan i ymgynghoriad cyhoeddus. Disgwylir ymatebion y cyhoedd erbyn y Nadolig hwn.

Gwelwyd cynnydd sylweddol mewn ymwybyddiaeth ymysg y cynghorau ac mae arwyddion cynnar bod Deddf yr Iaith Gymraeg a'r Cwricwlwm Cenedlaethol yn mynd i adlewyrchu'n bositif ar nifer siaradwyr Cymraeg y dyfodol. Odid na fydd canlyniadau'r Refferendwm ar Gynulliad i Gymru hefyd yn ategu hynny.

Gresyn ysywaeth, na fyddai'r datblygiadau hyn wedi digwydd ar ddechrau'r ganrif yn hytrach nag ar ei diwedd fel y byddai gwell graen ar yr iaith a'r defnydd ohoni.

Sylwadau

Fyddai neb yn derbyn y cywair cyntaf fel bod yn addas ar gyfer ei sgrifennu. Mae'r ail wedyn yn rhy ffurfiol ac yn mynd yn anodd oherwydd y 'geiriau mawr', rhai brawddegau hir ac arddull anystwyth.

Efallai mai prif bwrpas y llyfryn yma mewn gwirionedd, yw eich helpu i benderfynu ar gywair ffurfiol:

- y mae pawb yn gallu ei ddeall;
- sy'n cadw urddas yr iaith trwy gadw geiriau Cymraeg;
- sy'n cadw at batrymau naturiol y frawddeg yn hytrach na rhai seisnigedig.

Un peth yw penderfynu ar y cywair; rhaid bod yn gyson wedyn yng ngweddill y gwaith. Peth hawdd iawn yw colli'r cysondeb yma. **Y berfau yn aml sy'n gosod y cywair**. Yn y darn cyntaf gallwn ddweud '*Dwi di dwad*' mewn gwahanol ffyrdd e.e.

i	Yr wyf wedi dod
ii	Rwyf fi wedi dod
iii	Rwyf wedi dod
iv	Rydw i di dwad
v	Rydw i wedi dwad
vi	Wi di dod
vii	Ddes i
viii	Deuthum

Dyna i chi naw ffordd wahanol ac mae'n siwr bod ffyrdd eraill hefyd. Mae (i) a (viii) yn ffurfiol iawn. Mae'r fersiwn wreiddiol, (iv) a (vi) yn anffurfiol iawn. Mae'r gweddill rywle yn y canol. **Ar ôl penderfynu ar y cywair, yr her fydd cadw'n gyson at y cywair hwnnw** e.e. sut mae addasu'r frawddeg nesaf yn y gwahanol gyweiriau? Y wreiddiol yw'r ffurf sathredig ac mae'n siwr y byddwch chi'n anghytuno â mi ar y ffurfiau eraill. Ond dyma ymdrechion:

Sathredig: Os na fath beth a iaith dda dwch cos run geiria dach chi'n iwsio pan dach chi'n sgwennu Cymraeg da a pan dach chi'n sgwennu Cymraeg tha fi, - simple Welsh!

Ffurfiol: A oes y fath gysyniad ag iaith dda yn bod gan mai'r un geiriau a ddefnyddir mewn Cymraeg ffurfiol a sathredig?

Llai ffurfiol: Oes na'r fath beth â iaith dda deudwch, achos run geiriau sy'n cael eu defnyddio pan fyddwch chi'n sgrifennu Cymraeg da, â phan fyddwch chi'n sgrifennu Cymraeg fel f'un i, – Cymraeg syml?

Agor y maes yn unig yw pwrpas y llyfryn hwn. Gobeithio y byddwch yn ystyried cywair iaith ymhellach wrth ystyried eich gofynion o ddydd i ddydd.

5 CENEDL ENWAU - BOD YN WLEIDYDDOL DDOETH

Mae'r farn ynglŷn â chenedl rhai enwau yn amrywio'n fawr. Gwelir problemau'n aml wrth hysbysebu swyddi ac mae'r Comisiwn Cyfle Cyfartal yn y llyfryn, "Y Gymraeg yn y Gweithle a'r Ddeddf Gwahaniaethu ar sail Rhyw", gan Gwenllian Awberry, yn cynnig canllawiau yn yr adran 'Casgliadau ac Argymhellion':

Argymhellion ar Gyfer Arfer Da mewn Hysbysebion Swyddi yn y Gymraeg

1. Os oes term ar gael ar gyfer swydd sydd yn medru cyfeirio at ddyn neu ddynes, yna dylid ei ddefnyddio.
   e.e. *gohebydd, meddyg*

2. Os oes pâr o dermau ar gael, un yn cyfeirio at ddyn a'r llall at ddynes, yna dylid eu defnyddio ochr yn ochr.
   e.e. *athro/athrawes*

3. Lle y gwnaethpwyd gwaith arbennig hyd yn ddiweddar gan ddynion yn unig, neu gan ferched yn unig, ac fe gymerir y term perthnasol fel un sydd yn cyfeirio at y naill ryw neu'r llall yn unig, er nad oes terfyniad yn nodi rhyw y person, yna gellir defnyddio'r term hwn ond rhaid yn ogystal nodi yn glir bod croeso i'r ddwy ryw ymgeisio.

    e.e. *nyrs [dyn neu ddynes]*
    neu: *nyrs [Gwahoddir ceisiadau oddi wrth ddynion a merched]*

4. Lle y gwnaethpwyd gwaith arbennig hyd yn ddiweddar gan ddynion yn unig, neu gan ferched yn unig, ac mae'r term sydd yn bodoli yn amlwg yn cyfeirio at un rhyw yn unig, yna mae'n bosib creu gair newydd i lenwi'r bwlch fel bod pâr o eiriau yn cyfeirio at ddynion a merched. Rhaid cymryd gofal wrth wneud hyn, fodd bynnag, gan fod perygl y bydd y termau newydd hyn yn taro'n chwithig.

    e.e. ar gyfer *ysgrifenyddes* y ffurf newydd wrywaidd *ysgrifennydd*
           ar gyfer *gyrrwr*, y ffurf newydd fenywaidd *gyrwraig*

5. Gellir defnyddio'r ffurfiau lluosog yn lle rhoi'r ffurfiau gwrywaidd a benywaidd ochr yn ochr:

    e.e. *athrawon*
           yn lle:
           athro/athrawes
           fel yn:
           Gwahoddir ceisiadau gan athrawon profiadol...

Lle y gwnaethpwyd gwaith arbennig hyd yn ddiweddar gan ddynion yn unig neu gan ferched yn unig, dylid cynnwys datganiad clir bod croeso i ddynion a merched ymgeisio am y swydd.

    e.e. *gyrwyr [dynion neu ferched]*
           neu:
           gyrwyr [Gwahoddir ceisiadau oddi wrth ddynion a merched]

6. Gellir defnyddio ffurfiau eraill er mwyn osgoi rhoi'r ffurfiau gwrywaidd a benywaidd ochr yn ochr.

    e.e. *staff ysgrifenyddol*
           swyddi ysgrifenyddol

7. Yng ngweddill yr hysbyseb dylid defnyddio termau nad ydynt yn nodi rhyw yr unigolyn.

    e.e. *ymgeisydd*

8. Os defnyddir ffurf unigol ar gyfer teitl y swydd, yna bydd angen dyblu yng ngweddill yr hysbyseb, oherwydd yr angen i ddefnyddio rhagenwau gwrywaidd a benywaidd. Gellir osgoi hyn drwy ddefnyddio ffurfiau lluosog.

9. Os defnyddir pâr o dermau, yna bydd angen dyblu yng ngweddill yr hysbyseb oherwydd yr angen i ddilyn y rheolau sydd yn sensitif i genedl enwau. Gellir osgoi hyn drwy ddefnyddio ffurfiau lluosog.

10. Bydd defnyddio'r lluosog yn help i sicrhau nad yw'r geiriau sydd yn wrywaidd o ran cenedl, er yn gallu cyfeirio at ddynion a merched, yn rhoi'r argraff eu bod yn cyfeirio at ddynion yn unig

11. Gellir osgoi cyfeirio at ryw unigolyn drwy ddefnyddio rhagenwau ail berson.

12. Gellir datblygu ffyrdd eraill o ddisgrifio natur y swydd a'r sgiliau sydd eu hangen, heb gyfeirio at yr unigolyn fydd yn gwneud y gwaith hwnnw.

13. Nid yr un eirfa a ddefnyddir yn y gogledd a'r de i gyfeirio at wragedd. Yn y gogledd y ffurfiau arferol yw dynes (un.) a merched (llu.). Yn y de y ffurfiau cyfatebol yw menyw (un.) a menywod (llu.). Mae'r ffurfiau gogleddol a'r ffurfiau deheuol yn dderbyniol mewn hysbysebion swyddi.

Barn **Bruce Griffiths** yn yr adran ar sut i ddefnyddio Geiriadur yr Academi yw:

"…However, it must be reiterated, gender is a *grammatical* classification, not an indicator of sex; it is misleading and unfortunate that the labels *masculine* and *feminine* have to be used, according to tradition. It would be just as logical to classify nouns as red nouns and green nouns, or as round nouns and square nouns. There is no reason why nouns ending in -wr, -ydd should not refer equally well to a woman as to a man…"

Mae **Delyth Prys** hefyd yn pwysleisio na ddylem gymysgu cenedl enwau a rhyw. Dywed hi mai label yn unig yw gwrywaidd a benywaidd. Annoeth yn ei barn hi fyddai derbyn y canllawiau a roir gan yr *Equal Opportunities Commission* yn achos defnyddio'r iaith Saesneg, fel rhai sy'n gwbl addas ar gyfer y Gymraeg hefyd. Rhaid cofio 5 pwynt meddai:

- dydi cenedl (sy'n gysyniad gramadegol) ddim yn cyfleu rhyw yn y Gymraeg;
- gwrywaidd yw mwyafrif yr enwau yn yr iaith Gymraeg ac mae hynny'n wir hefyd am ffurfiau craidd - amrywiadau arnyn nhw yw'r ffurfiau benywaidd;
- wrth ddefnyddio'r ffurfiau gwrywaidd a benywaidd ochr yn ochr, rydym yn codi pob math o broblemau treiglo;
- mae rhai enwau benywaidd sy'n cyfeirio at swyddi yn gallu cyfleu'r syniad bod statws y swydd yn is e.e. gweithwraig gymdeithasol; oherwydd hynny, dydyn nhw ddim yn boblogaidd gan ferched yn aml;
- rhaid bod yn ofalus iawn wrth gynghori cyflogwyr i ddefnyddio'r ffurfiau -wr/-wraig ac -ydd/-yddes gan y gallwn greu cymhlethdodau a mynd yn groes i ddeithi naturiol yr iaith.

Ei hawgrym hi yw ychwanegu brawddeg fel:

"Mae'r swydd yma ar gyfer merched neu ddynion"

neu

"Croeso i ddynion neu ferched ymgeisio am y swydd yma"

Gyda'r fath ddehongliadau sy'n ymddangos yn groes i'w gilydd, beth ddylen ni ei wneud?

- O safbwynt ieithyddol, y man cychwyn o bosib yw gosodiad Bruce Griffiths a phwyntiau Delyth Prys. Cofiwch y 5 rhybudd a'r cyngor sydd ganddi hi.

- **Ond gallwn hefyd gadw at rai o argymhellion Gwenllian Awberry. Nid yw 1, 3, 5, 6, 7, 8, 9, 10, 11, 12, na 13 yn mynd yn groes i'r hyn sy'n cael ei ddweud gan y ddau arall. Gellid cadw at (2) hefyd mewn teitl i hysbyseb ond eich bod yn defnyddio'r lluosog (5) neu ffurfiau eraill, e.e. (6) neu (7) wedyn wrth ddisgrifio'r swydd er mwyn osgoi'r problemau treiglo.**

- Pwynt (4) yw'r unig un y dylech ei osgoi, sef yr ymdrech i lunio termau newydd er mwyn cael pâr o eiriau addas sy'n cyfeirio at ddynion a merched e.e. *ysgrifennydd* am yr *ysgrifenyddes* wrywaidd.

Dyna'r ochr gymhleth. Mae rhai pethau syml y gallwch eu gwneud hefyd e.e.

- mynd i'r geiriadur i weld pa genedl sy'n cael ei hawgrymu yno; bydd yn cael ei osod fel **e.b./e.g.** yn y Geiriadur Mawr a Geiriadur Prifysgol Cymru ond fel **n.f./n.m** yn y lleill;
- bod yn gyson e.e. os mai *y dudalen* yw'r fersiwn yr ydych yn ei defnyddio, cofiwch mai *dwy dudalen* a *tudalen wag* sy'n gyson wedyn.

6 CYFIEITHU - RHAI CYNGHORION

Cyfieithwch y frawddeg yma i'r Gymraeg:

Children in the 6 to 8 year-old age range are naturally still orientated towards their own homes and families.

Os mai ychydig iawn o brofiad cyfieithu sydd gennych, mae'n siwr mai rhywbeth tebyg i hyn fydd eich cyfieithiad:

Mae plant yn yr amrediad oedran 6 i 8 oed yn naturiol wedi eu cyfeiriadu tuag at eu cartrefi eu hunain a'u teuluoedd,

Dyma'r math o gyfieithu sy'n gwneud y Gymraeg yn anodd i'w darllen ac sy'n gwneud i bobl droi at y Saesneg pan mae'r dewis ganddyn nhw. Beth yw'r gwendidau?

- Y prif wendid yw cadw at drefn y geiriau Saesneg, h.y. ceisio defnyddio ffordd y Saesneg o sgrifennu brawddeg yn y Gymraeg. Dyna pam mae'n swnio'n *'stiff'* ac yn anystwyth.

- Dyna sy'n gyfrifol am 'yn yr amrediad oedran o 6 i 8 oed' sy'n hynod o anystwyth.

- Beth am symud yr 'yn naturiol' a'r 'eu hunain'? Byddai dweud 'at eu cartrefi eu hunain a'u teuluoedd' swnio'n fwy naturiol yn Gymraeg ac mae'r 'yn naturiol' yn well o'i symud neu ei ollwng.

- Wrth gadw at union drefn y Saesneg wedyn, rydych yn cyrraedd gair fel yr *'orientated'*. Mae hynny'n eich gorfodi i droi at eiriadur a dewis gair anghyffredin fel *'cyfeiriadu'* neu *'cyfeiriannu'* sy'n swnio'n od ac yn drwsgl.

Beth am gyfieithu'r ystyr yn hytrach na dilyn trefn y geiriau:

Mae bywyd plant 6-8 oed yn troi o amgylch eu cartrefi a'u teuluoedd.

i   Y prif gyngor felly yw **dilyn yr ystyr yn hytrach na threfn geiriau'r iaith wreiddiol**. I wneud hynny, darllenwch y gwreiddiol ac yna'i gyfleu yn eich geiriau eich hun yn Gymraeg.

ii   **Ystyried pwrpas y gwaith yr ydych yn ei gyfieithu a'r rhai fydd yn ei ddarllen.** Os mai dogfen gyfreithiol yw'r gwaith, yna bydd yn rhaid i chi wneud yn siwr bod popeth sydd yn y gwreiddiol yn y cyfieithiad hefyd. Ond, gallwch symleiddio trwy rannu brawddeg hir yn 2/3 o rai byrrach. Gyda gwaith mwy cyffredinol gallwch symleiddio llawer ar y gwaith gwreiddiol.

iii   **Gallwch ofyn i'r cwsmer faint o ryddid sydd gennych i newid trefn geiriau a symleiddio.** Byddai llawer corff a chwmni'n croesawu fersiwn symlach y bydd y cyhoedd yn ei deall yn well. Gofynnwch hefyd a ellwch newid y fformat os oes angen, e.e. o'r print solet i destun wedi'i rifo, yn cynnwys pwyntiau bwled a.y.y.b.

iv   Os ydych chi'ch hun yn gyfrifol am sgrifennu'r fersiynau Cymraeg a Saesneg, **ysgrifennwch yr un sydd yn eich iaith wannaf yn gyntaf.** Bydd yn haws i chi adnabod enghreifftiau o gyfieithu uniongyrchol yn eich iaith gryfaf wrth gyfieithu iddi.

v   Y nod yw cadw'r Gymraeg **yn syml, yn naturiol ac yn bur**.

vi   Os na ellwch gyfieithu'n rhwydd ac yn rhugl eich hun, **rhowch y gwaith i gyfieithydd profiadol.**

     Cofiwch ddweud:

- pwy fydd eich cynulleidfa;
- pa gywair iaith y dylai ei ddefnyddio;
- beth yw'r geiriau technegol derbyniol (os ydych yn gwybod hynny).

CYMRAEG CLIR

RHAN 3 - MANYLU MWY

 **7** BRAWDDEGAU HIR

ENGHRAIFFT 1

Wrth i'ch brawddegau fynd yn hirach, mae'r ystyr yn mynd yn fwy cymylog fel rheol. Cymerwch y frawddeg yma o ffurflenni treth un cyngor sir:

> Unwaith y mae'r band wedi cael ei bennu, ni chaiff eiddo ei symud i fand arall **oni bai** fod cynnydd gwirioneddol yng ngwerth yr annedd **o ganlyniad** i waith gael ei wneud ar ei wella neu am fod gostyngiad gwirioneddol yng ngwerth yr annedd **o ganlyniad** i ddymchwel rhan ohono **neu oherwydd** bod newid yng nghyflwr ffisegol yr ardal, **neu os** yw'r eiddo wedi cael ei addasu ar gyfer cael ei ddefnyddio gan rywun anabl.

Sylwadau

i. Y geiriau bach yma mewn print tywyll sy'n cysylltu gwahanol rannau'n frawddeg (y cysyllteiriau) yw'r drwg. Rhain yw'r glud neu'r gliw mewn gramadeg. Unwaith y byddwch yn defnyddio *oni bai*, neu *o ganlyniad*, rydych yn llunio brawddeg sydd ag ail ran iddi e.e.

    Oni bai eich bod yn mynd i Fangor heddiw…. ni chewch ddillad newydd.
    O ganlyniad i'r etholiad…. y blaid Lafur sy'n rheoli.

Wrth roi sawl cysylltair mewn brawddeg wedyn, rydych yn eich gorfodi eich hun i sgrifennu brawddeg hir a chymhleth.

ii. Mae *oni bai* ac *o ganlyniad* braidd yn ffurfiol neu hen ffasiwn. Gallwn ddefnyddio ffordd fwy naturiol o gysylltu'r rhannau sy'n y frawddeg e.e.

    Os na fyddwch yn mynd i Fangor heddiw….fyddwch chi ddim yn cael dillad newydd.
    Oherwydd canlyniad yr etholiad….y blaid Lafur sy'n rheoli.

iii Mae cael 3 neu yn y frawddeg yn ei gwneud yn hirach a mwy niwlog. Mae ffordd arall i'w chael heddiw ar gyfer cyflwyno rhestrau sef y pwyntiau bwled:

-
-
-

Mae'r rhain yn dangos y cysylltiad rhwng y gwahanol is rannau o'r frawddeg a'r brif ran.

Un ffordd o symleiddio'r frawddeg hir ar y ffurflen dreth felly fyddai:

> Unwaith y mae eich eiddo wedi cael ei roi mewn band, yr unig resymau dros
> ei symud i fand arall yw:
> * os yw ei werth yn codi'n sylweddol am fod gwaith wedi'i wneud arno i'w wella;
> * os yw ei werth wedi gostwng yn sylweddol oherwydd eich bod wedi cnocio rhan ohono i lawr;
> * os oes newid ffisegol wedi bod yn yr ardal;
> * os yw'r eiddo wedi'i addasu ar gyfer rhywun anabl.

Mae'r pwyntiau bwled wedi ein helpu i wneud yr holl wybodaeth sydd yma'n haws i'w thrin. A ydych chi'n hapus â'r addasiad yma neu a fuasech yn awgrymu rhyw ffordd arall o symleiddio'r frawddeg a'i gwneud yn haws i'w deall?

ENGHRAIFFT 2

Mae cyfieithu o'r Saesneg yn gwneud llawer o frawddegau hir yn gymhleth. Mae hynny'n digwydd yn aml oherwydd bod:

* y frawddeg wreiddiol yn hir;
* tuedd i gyfieithu fesul gair a chymal (yn hytrach na chyfieithu'r ystyr).

Cymerwch y frawddeg yma:

> **Gall y mwyafrif o bobl sy'n gweithio i gyflogwyr ac sy'n sâl am o leiaf bedwar diwrnod neu ragor yn olynol gael tâl salwch statudol gan eu cyflogwyr am hyd at 28 wythnos mewn unrhyw un cyfnod o salwch neu gyfnodau cysylltiedig o salwch.**

Cyfieithiad yw hon o'r Saesneg:

> **Most people who work for an employer and are sick for at least four or more days in a row can get SSP from their employers for a maximum of 28 weeks in any spell or series of linked spells of sickness.**

Mae geiriau fel:
y mwyafrif o, o leiaf, neu ragor, yn olynol, hyd at,
sydd yn torri ar draws rhediad y frawddeg yn cymhlethu pethau. Ond mewn achosion fel hyn mae eu hangen gan fod rheolau caeth.

Byddai rhannu'r gwaith yn ôl blociau ystyr yn help e.e.

> **Gall y mwyafrif o bobl sy'n gweithio i gyflogwyr ac sy'n
> sâl am:**
> * **o leiaf bedwar diwrnod neu ragor (yn olynol) gael tâl salwch
>   statudol gan eu cyflogwyr am hyd at 28 wythnos mewn:**
> * **unrhyw un cyfnod o salwch**
> * **cyfnodau cysylltiedig o salwch.**

Ond byddai dileu rhai pethau diangen hefyd yn help:

* **..o bobl..** (nid oes ei angen; cymerwn yn ganiataol mai pobl ydynt!)
* **..neu ragor..** (nid oes angen *o leiaf* a *neu ragor* felly beth am gael gwared ag un
  ohonyn nhw?)

Petai modd newid y frawddeg gyfan i fod yn fwy uniongyrchol byddai'n haws fyth i'w
dilyn e.e.

> **Os ydych yn gweithio i gyflogwr ac yn sâl am:**
> * **o leiaf 4 diwrnod yn dilyn ei gilydd,**
> **fel rheol, byddwch yn cael tâl salwch statudol ganddo am hyd at
> 28 wythnos. Mae hyn yn wir am unrhyw:**
> * **un cyfnod o salwch, neu**
> * **gyfnodau o salwch sy'n gysylltiedig â'i gilydd.**

Yn yr enghraifft yma mae'r frawddeg wedi cael ei rhannu'n ddwy ac mae'r rhif 4 a 28
wedi'u roi'n lle'r geiriau. Dyna ddau beth arall sy'n help i symleiddio brawddeg hir a
chymhleth.

8 GEIRIAU BYR NEU EIRIAU CYFFREDIN

A CADWCH AT EIRIAU:

- **byr**
- **cyffredin**

lle mae'n bosib gwneud hynny.

Ar y chwith mae rhai enghreifftiau o'r ffurflenni treth cyngor. Ar y dde mae ffurf sy'n cynnwys geiriau mwy cyffredin neu fyrrach yn cael ei chynnig:

Hysbysiad Hawlio'r Dreth Cyngor...	**Bil** Treth Cyngor...
Gweler trosodd am eich cerdyn talu...	**Trowch** drosodd am eich cerdyn talu...
...y swm y **gofynnir** i chi ei dalu...	...y swm y **mae'n rhaid** i chi ei dalu...
...hawl i **ostyngiad**	...hawl i gael **disgownt**
Newid **i'ch** sefyllfa...	Newid **yn eich** sefyllfa...
...talu...o'r cyfrif sydd **ar y cyfarwyddyd hwn**...	...talu...o'r cyfrif **a ddangosir yma**...
...drwy **gwblhau a dychwelyd** y cyfarwyddyd debyd uniongyrchol **trosodd**...	...drwy **lenwi'r** cyfarwyddyd debyd uniongyrchol **sydd dros y dudalen** a'i **anfon**...
...**galwch** Adran Refeniw y Cyngor ar y rhif...	...**ffoniwch** Adran Refeniw y Cyngor ar y rhif...
...os ydych **yn gymwys** i gael...	...os oes gennych **hawl** i gael...
...pobl sy'n **derbyn** cymorthdal	...pobl sy'n **cael** cymorthdal
Anheddau gwag	**Eiddo (Tai)** gwag **Cartrefi** gwag
Eiddo a eithrir o dreth cyngor	Eiddo **na fydd yn rhaid i chi dalu** treth cyngor arno/Eiddo **sy'n rhydd** o...
Eiddo gwag **ym mherchnogaeth**...	Eiddo gwag **sydd yn perthyn i**.../sydd **piau**

Mae'n rhaid defnyddio **termau penodol** neu **eiriau technegol** weithiau. Er mwyn helpu'r darllenwr gallwch eu cyflwyno mewn ffordd wahanol e.e. trwy

- roi'r term Saesneg mewn cromfachau,
- esbonio'r term Cymraeg.

Gwarant (Guarantee)

Debyd Uniongyrchol (Direct Debit)

Mae mathau o eiddo na fydd yn rhaid i chi dalu treth arnynt. Eiddo **eithriedig** yw'r enw ar rhain..

Unwaith yn unig mae angen rhoi'r term Saesneg. h.y. pan fyddwch yn cyflwyno'r term am y tro cyntaf.

Esboniwch y term Cymraeg newydd y tro cyntaf y byddwch yn ei gyflwyno. Gellwch wneud hynny trwy ei roi mewn print trwm, ei danlinellu a.y.y.b

Unwaith y byddwch wedi gwneud hynny, gellwch ddefnyddio'r term yma trwy'r ddogfen wedyn.

A fyddwch chi'n cyflwyno termau newydd neu aneglur fel hyn, mewn unrhyw ffordd arall?

B DEFNYDDIO BERFENW NEU ANSODDAIR YN LLE ENW

Yn aml wrth gyfieithu mae tuedd i rai ddilyn trefn y Saesneg mewn brawddeg fel:

…the mother must give her consent…

a'i chyfieithu'n llythrennol fel:

…mae'n rhaid i'r fam roi cydsyniad…

Yr hyn sy'n digwydd yw bod y cyfieithydd yn cadw'r enw (noun) consent yn Gymraeg hefyd pan fyddai'n llawer mwy naturiol i ddefnyddio'r berfenw cydsynio:

…rhaid i'r fam gydsynio…

Efallai y byddai gair mwy cyffredin na cydsynio yn ei wneud yn symlach eto;

…rhaid i'r fam gytuno…
…rhaid i'r fam ganiatau…

Dyma i chi enghraifft arall o'r un peth:

Mae'n rhaid i'r system fod yn hyblyg, yn arbennig ar amser o sychder.

Y tro yma defnyddio'r ansoddair 'sych' sy'n gwneud y frawddeg yn fwy naturiol:

Mae'n rhaid i'r system fod yn hyblyg, yn arbennig yn ystod cyfnod sych.

Newidiwch chi'r geiriau a danlinellwyd yn yr enghreifftiau nesaf er mwyn gwneud y frawddeg yn fwy naturiol Gymreig. Gallwch newid mwy nag un gair os mynnwch.

Os bydd y camgymeriad yn <u>ailadroddiad</u> o air...	Os mai **ailadrodd gair** yw'r camgymeriad..
Ar ôl <u>lansiad </u>Clwb Teithio Gwynedd...	Ar ôl **y lansio** yng Nghlwb Teithio Gwynedd...
Mae'r project yn dysgu <u>dealltwriaeth o'r</u> amgylchedd ynghyd ag elfennau o wyddiniaeth a daearyddiaeth iddynt...	Mae'r poject yn eu **helpu i ddeall** yr amgylchedd ac elfennau o wyddoniaeth a daearyddiaeth...

Trosglwyddwyd y neges i'r sir am yr ymbelydredd ynghyd â rhagolygon ei <u>ledaeniad</u> ar y gwynt...	Trosglwyddwyd i'r sir y neges am yr ymbelydredd a'r rhagolygon am y ffordd y mae'r gwynt yn ei **ledaenu**...
...yn amodol ar <u>werthusiad</u> swydd...	...yn amodol ar **werthuso'r** swydd... neu ...yn amodol ar **werthuso** tra yn y swydd (Dibynnu ar union ystyr y gwreiddiol)

C DEFNYDDIO FFURFIAU BENYWAIDD A LLUOSOG ANSODDEIRIAU

Mae Bruce Griffiths a Dafydd Glyn Jones yn ymdrin â rhai ansoddeiriau yma yn nechrau Geiriadur yr Academi. (tt. xlii a xliii)

Ffurfiau Benywaidd

Ar wahân i *brith/braith* mae'r ffurfiau benywaidd sy'n dal i gael eu defnyddio'n rhannu'n 2 brif ddosbarth sef:

i. ansoddeiriau lle mae'r **w** yn newid i **o**: e.e. brwnt/bront, crwm,crom, cwta/cota, llwnm/llom, tlws/tlos, trwm,trom; ansoddeiriau sy'n cynnwys yr elfen –crwm, –crom, – tlws, –trwm yn ail elfen e.e. gwargrwm/gwargrom, hirgrwn/hirgron, noethlwm/noethlom, meindlws/meindlos, pendrwm/pendrom. Mae nifer o'r enghreifftiau a restrir yno'n rhai anghyffredin iawn.

ii. ansoddeiriau lle mae'r **y** yn newid i **e**: e.e. brych/brech

Ffurfiau Lluosog

Ychydig iawn o'r ffurfiau lluosog sy'n cael eu defnyddio, hyd yn oed wrth ysgrifennu. Mae hi wedi mynd yn arfer i beidio â'u defnyddio wrth siarad ar wahân i rai ffurfiau fel:

i. ansoddeiriau lliw, e.e. cochion, duon, gleision, gwynion, llwydion a.y.y.b (mae hyn yn arbennig o wir mewn ymadroddion arbennig fel cregyn gleision, brodyr llwydion...

ii. ansoddeiriau cyffredin iawn,e.e. breision, brition, budron, bychain, byrion, ceimion, crynion, culion, cyfain, dyfnion, eraill, geirwon, gloywon, gweigion, gwylltion, gwyrddion, hirion, hŷn, ifainc, ifync, llyfnion, mawrion, meinion, meithion, poethion, surion, sychion, teneuon, tewion, trymion, ysgeifn.

Mae Geiriadur yr Academi yn manylu mwy ac yn rhoi rhestr o ansoddeiriau sydd heb luosog o gwbl. Ond mae'r rhestr uchod yn ddigon ar wahân i gofio bod ansoddeiriau yn fwy tebygol o gymryd lluosog pan fydd yn cael ei ddefnyddio fel enw, e.e. y cedyrn, y cleifion, y deillion, yr ifainc, y tlodion, a.y.y.b.

Ar wahân i achosion lle mae'r ffurf luosog neu fenywaidd yn air cyffredin iawn neu'n rhan o ymadrodd cyffredin iawn, gallwn ddefnyddio'r ffurf unigol arferol.

9 DEFNYDDIO IAITH A / NEU GYSTRAWEN SYMLACH NEU FWY CYFFREDIN

Soniwyd yn rhan 1 am y gwahaniaeth mawr sy'n bod rhwng yr iaith y byddwn yn ei siarad (**yr iaith lafar**) a'r iaith y byddwn yn ei hysgrifennu (**yr iaith ysgrifenedig**). Y duedd ar ffurflenni swyddogol yw defnyddio iaith a thermau sy'n nes o lawer at yr iaith ysgrifenedig. Mae fframwaith y brawddegau (cystrawen) hefyd yn gallu bod yn llenyddol iawn.

Ar ffurflenni a deunydd sy'n cael ei anfon at y cyhoedd, bod yn gryno ac eglur yw'r prif nod. Mae hynny'n golygu ein bod yn defnyddio iaith symlach. Weithiau mae hynny'n golygu ystyried defnyddio ffurfiau a chystrawennau sy'n nes at yr iaith lafar. Ond nid yw'n golygu defnyddio geiriau Saesneg.

Nid oes ond un oedolyn yn byw yn yr annedd – gostyngiad 25%.	Dim ond un oedolyn sy'n byw acw - disgownt o 25%. neu Dim ond un oedolyn sy'n byw yn eich cartref - gostyngiad 25%
…ond heblaw am un mae'r lleill wedi eu diystyru at ddibenion Treth Cyngor…	…heblaw am un dydyn nhw ddim yn cyfrif i bwrpas Treth Cyngor…
Dylid talu Treth Cyngor fesul taliad misol yn unol â'r rheolau statudol.	Rhaid talu'r Dreth Cyngor fesul taliad misol yn ôl y gyfraith.
Os y gwneir camgymeriad gan Gyngor _____ neu eich Banc neu Gymdeithas Adeiladu fe sicrheir ad-daliad llawn o'r swm a dalwyd yn ddi-oed gan gangen eich Banc neu Gymdeithas Adeiladu	Cewch ad-daliad llawn yn syth gan eich Banc neu Gymdeithas Adeiladu os gwnaethon nhw neu Gyngor _____ gamgymeriad.
Mae'r swm uchod yn daladwy'n unol â'r rhandaliadau a ddangosir isod…	Mae'r swm yma i'w dalu fesul y rhandaliadau isod… neu Mae'r swm yma i'w dalu'n ôl y taliadau isod…
Eiddo gwag nad oes ddodrefn hanfodol ynddo…	Eiddo gwag heb ddodrefn ynddo…
…buaswn yn ddiolchgar pe baech yn talu'r cyfanswm dyledus o £___. Ysgrifennwch eich sieciau'n daladwy i…	wnewch chi dalu'r £___ sydd arnoch? Gwnewch eich sieciau i …/ Talwch eich sieciau i…
Ysgrifennaf i'ch hysbysu fod eich cais am ad-daliad wedi cael ei ystyried a'i dderbyn…ac felly rwyf yn gwneud yr ad-daliad sy'n ddyledus…	Hoffwn ddweud wrthych ein bod wedi penderfynu talu'r arian y gwnaethoch gais amdano. Mae'r siec gyda'r llythyr yma.
Os yw'r cerdyn yn eich meddiant anfonwch ef i'r swyddfa hon ynghyd â'r llythyr hwn. Os nad yw'r cerdyn ar gael buaswn yn ddiolchgar petaech yn cyflawni y rhan ateb isod a'i dychwelyd cyn gynted ag sydd modd. Amgaeaf amlen bwrpasol i'ch ateb…	Os yw'r cerdyn gennych chi, anfonwch ef a'r llythyr yma'n ôl aton ni. Fel arall, wnewch chi lenwi'r ffurflen isod a'i hanfon yn ôl aton ni? Defnyddiwch yr amlen sydd gyda'r llythyr yma.

...a fuasech cyn garediced â llenwi'r ffurflen amgaeëdig a'i dychwelyd i'r swyddfa yma ynghyd ag unrhyw gerdyn meddygol sydd yn eich meddiant mor fuan ag sydd bosibl...

...a wnewch chi anfon:
- y ffurflen sydd gyda'r llythyr yma, wedi'i llenwi;
- unrhyw gerdyn meddygol sydd gennych;
yn ôl i ni mor fuan ag y gallwch?

10.1 DEFNYDDIO BRAWDDEGAU UNIONGYRCHOL A GWEITHREDOL YN HYTRACH NA GODDEFOL

10.1.1 Edrychwch ar y 3 brawddeg yma:

Cefais fy nghicio gan y ceffyl.
Ciciwyd fi gan y ceffyl.
Ciciodd y ceffyl fi.

Fi yw testun y ddwy frawddeg gyntaf ond dydi'r **fi** ddim yn gwneud dim. Rhywun neu rywbeth arall sy'n gwneud rhywbeth iddo. Dioddef y weithred (yr hyn sy'n cael ei wneud) yn y frawddeg y mae'r **fi**. **Brawddeg oddefol** yw'r enw ar y math yma o frawddeg pan mae'r testun (sef fi) yn dioddef.

Mae'r drydedd frawddeg yn wahanol. Yn hon y **ceffyl** yw'r testun; am y ceffyl mae'r frawddeg yn sôn. Y ceffyl hefyd sy'n gwneud y weithred. **Brawddeg weithredol** yw'r enw ar frawddeg fel hon lle mae prif destun y frawddeg yn gwneud y weithred hefyd.

Os byddwn yn defnyddio nifer o frawddegau goddefol mewn paragraff, mae'n creu argraff o bellter. Mae hefyd yn gallu cymhlethu'r ystyr ac arafu'r darllen.

Pa un yw'r frawddeg weithredol yn y parau canlynol? A yw'r brawddegau gweithredol yn haws i'w deall?

Bydd unrhyw ddiffyg yn y gyllideb yn cael ei dalu gan yr adran.
Yr adran fydd yn talu unrhyw ddiffyg yn y gyllideb.

Mae Ysgol y Bryn wedi cael ei gosod yn seithfed ar y rhestr ac wedi cael ei chanmol gan gadeirydd y cyngor sir.
Ysgol y Bryn yw'r seithfed ar y rhestr ac mae cadeirydd y cyngor sir wedi ei chanmol.

Yr ail yw'r frawddeg weithredol yn y ddau achos ac rwy'n siwr eich bod yn cytuno eu bod yn haws i'w dilyn. Weithiau mewn adroddiadau cawn nifer o frawddegau goddefol mewn paragraff neu'n agos at ei gilydd. Ceisiwch osgoi hynny.

10.1.2 Ffurfiau **amhersonol y ferf + gan**

Yn yr ail frawddeg yn adran 4.1.1

Ciciwyd fi gan y ceffyl.

mae'r ferf ciciwyd yn **amhersonol**, h.y. dydi'r ferf ei hun ddim yn dweud wrthon ni pwy sy'n gwneud y cicio. Rhaid i ni ddefnyddio'r gair bach **gan** i wneud hynny. Mae'r math yma o frawddeg yn cael yr un effaith â'r frawddeg oddefol. Gwell, felly, yw bod yn fwy uniongyrchol lle mae hynny'n bosib.

Mae'r ffurfiau amhersonol mwyaf cyffredin yn gorffen yn **-ir** neu **-wyd**. (Mae ffurfiau eraill mwy anghyffredin e.e. **-id, -asid, -er.**)

Mae'r newidiadau'n dilyn dau lwybr:

a) defnyddio llai o ferfau amhersonol
b) newid yr ystyr i fod yn fwy uniongyrchol a gweithredol yn hytrach na goddefol (hyn yn gwneud y dweud yn fwy uniongyrchol).

Mae'r sicrwydd yn cael ei gynnig gan holl Fanciau a Chymdeithasau Adeiladu sydd yn cymryd rhan yn y Cynllun…	Mae'r holl Fanciau a Chymdeithasau Adeiladu sy'n rhan o'r Cynllun yn cynnig y sicrwydd yma…
Os yw'r symiau sydd i gael eu talu neu'r dyddiadau y telir hwy yn newid, fe adewir i chi wybod ymlaen llaw o leiaf 14 diwrnod, fel a gytunwyd…	Os oes newid yn y symiau sydd i'w talu neu'r dyddiadau talu, byddwch yn cael gwybod o leiaf 14 diwrnod ymlaen llaw fel y cytunwyd…
Os y gwneir camgymeriad gan y Cyngor neu eich Banc neu Gymdeithas Adeiladu fe sicrheir ad-daliad llawn o'r swm a dalwyd yn ddi-oed gan gangen eich Banc neu Gymdeithas Adeiladu…	Cewch ad-daliad llawn yn syth gan eich Banc neu Gymdeithas Adeiladu os gwnaethon nhw neu'r Cyngor gamgymeriad.
Crynodeb neu amlinelliad o'r rheolau a roddir yma…	Crynodeb neu amlinelliad o'r rheolau sydd yma…
Os rhoddwyd gostyngiad i chi ar sail anabledd, dangosir hynny ar dudalen flaen eich bil…	Os ydych chi'n talu llai oherwydd anabledd, mae'n cael ei ddangos ar dudalen gyntaf eich bil… Os cawsoch chi ostyngiad oherwydd anabledd…
Fodd bynnag, os gosodwyd eich eiddo ym mand A…	Os yw eich eiddo chi ym mand A…
Fe ddynodir eich rhif ar y cerdyn pinc…	Mae eich rhif ar y cerdyn pinc…
Os yw'r cerdyn yn eich meddiant, anfonwch ef i'r swyddfa hon ynghyd â'r llythyr hwn…	Os yw'r cerdyn gennych chi, anfonwch ef i'r swyddfa gyda'r llythyr yma…
Yn y bore y dosberthir y mwyafrif o eitemau, ac mewn ardaloedd trefol ceir dosbarthiad ychwanegol tuag amser cinio…	Byddwn yn dosbarthu'r rhan fwyaf o eitemau yn y bore ac mewn trefi, byddwn yn dosbarthu eto tua amser cinio…
Mae hwn yn ychwanegiad dewisol y dylid ei ddefnyddio…	Dylech ddefnyddio'r gwasanaeth dewisol yma…

10.2 BRAWDDEGAU CADARNHAOL YN HYTRACH NA RHAI NEGYDDOL

Pan ofynnodd athrawes i ferch mewn dosbarth dysgwyr:

"Fasach chi ddim yn agor y ffenest gwael?"

edrychodd y dosbarth yn wirion arni. Nid oedd yn siwr a oedd i fod i agor y ffenest ai peidio. Y gair **ddim** oedd y broblem mae'n debyg. Er bod y frawddeg yn un eitha' cyffredin i Gymry naturiol roedd defnyddio'r negyddol mewn ffordd newydd yn achosi trafferth i'r ddysgwraig. Byddai'n well yn y sefyllfa hon petai wedi gofyn:

"Wnewch chi agor y ffenest os gwelwch chi'n dda?"

Mae rhai ffurfiau negyddol mewn brawddegau yn gallu cymylu'r ystyr i bawb weithiau. Edrychwch ar yr enghreifftiau sy'n dilyn:

Nid oes unrhyw amheuaeth nad oes newid wedi digwydd...	Mae'n amlwg bod newid wedi digwydd...
Ni all Cymro uniaith lai na theimlo'n anfreintiedig o dan y fath drefn...	Mae unrhyw Gymro uniaith yn siwr o deimlo'n anfreintiedig dan y fath drefn...
Nid proses rwydd yw caffael iaith...	Proses anodd yw caffael iaith...
Nid cam mawr yw symud o agwedd at iaith benodol i agwedd at siaradwyr yr iaith honno...	Cam bychan yw symud o agwedd at iaith benodol i agwedd at siaradwyr yr iaith honno...
Fe all na fydd y safon hon yn berthnasol mewn tywydd garw...	Efallai na fydd y safon hon yn berthnasol mewn tywydd garw...
I ddechrau archwilio nid oes ond angen defnyddio'r allwedd ">"...	Mae dechrau archwilio'n hawdd; defnyddiwch yr allwedd ">"

11 BOD YN FYR AC YN GRYNO

a Weithiau byddwn yn gwneud ati i ailddweud rhywbeth mewn ffordd arall er mwyn pwysleisio pwynt. *Lawer gwaith clywsom rywun wrth siarad yn gyhoeddus neu areithio yn ailadrodd fel hyn:*

Rhaid i ni beidio â manylu gormod ar y mater dan sylw, peidio hollti blew'n ormodol ar y pwnc yma...

Rhan o arddull siarad yn gyhoeddus yw hyn. Mae'n ychwanegu at fywiogrwydd y "perfformiad." *Wrth sgrifennu, ar y llaw arall, mae'n gallu cymylu'r ystyr os byddwn yn gwneud gormod o hynny.* Dydyn ni ddim yn gallu defnyddio cryfder neu dôn y llais, cyflymder y siarad, y dwylo a.y.y.b. i wneud y neges yn fwy bywiog. Ran amlaf felly, wrth sgrifennu'n ffeithiol, y peth gorau i'w wneud yw ceisio bod yn gryno ac yn uniongyrchol.

Byddai:

Rhaid peidio â manylu ar y pwnc yma

neu

Peidiwch â manylu ar y pwnc yma

yn fwy effeithiol wrth ysgrifennu.

Ond rwyf finnau'n euog o'r un bai wrth gyflwyno'r pwynt i chi. Sylwch ar y ddwy frawddeg sydd mewn italics. Oes unrhyw eiriau ynddyn nhw y gallwn gael gwared â nhw heb effeithio ar yr ystyr? Wel oes, beth am dynnu *siarad yn gyhoeddus* neu *areithio* o'r frawddeg gyntaf ac *ar y llaw arall* o'r ail i'w gwneud yn fwy llyfn a chryno:

Lawer gwaith clywsom rywun wrth areithio yn ailadrodd fel hyn.
Wrth sgrifennu, mae'n gallu cymylu'r ystyr os byddwn yn gwneud gormod o hynny.

Mae llawer o'n hidiomau ni a'n hymadroddion lliwgar ni fel cenedl yn dibynnu ar ailadrodd geiriau sy'n gyfystyr neu sy'n hollol groes i'w gilydd er mwyn creu effaith e.e.

swm a sylwedd, y bennod a'r adnod, y byd a'r betws, byw a bod, na thwsu na thagu, rhych na rhawn, dros ben a chlustiau, pwyso a mesur, pob migwrn ac asgwrn, pwys a gwres y dydd.

Yn achos rhain, rhaid eu cadw fel y maen nhw a'u harfer. Ond dylech yn gyntaf ystyried ai dyma'r math o iaith liwgar sydd ei hangen i'ch pwrpas chi. Neu a fyddai iaith fwy plaen a chryno yn well?

b Math arall o frawddeg sydd angen ei symleiddio a'i dweud mewn ffordd fwy cryno yw'r un sydd wedi'i chyfieithu o'r Saesneg. Yn aml dull yr iaith Saesneg o'i chyflwyno sydd yn ei gwneud yn fwy hirwyntog a chymhleth yn Gymraeg e.e.

Yn ddymunol, bydd ymgeiswyr yn meddu ar gymhwyster Busnes…

Mae'n amlwg mai wedi'i chyfieithu'n frysiog o rywbeth tebyg i:

Ideally, the candidate should possess a Business qualification…

yn Saesneg y mae hon ac mae'n dilyn trefn y Saesneg o safbwynt geiriau a phatrwm y frawddeg. Byddai:

Byddai cael cymhwyster Busnes o fantais…

yn llawer mwy addas.

Yn y brawddegau sy'n dilyn, mae enghreifftiau o ddefnyddio geiriau ac ymadroddion mwy cyffredin wrth geisio bod yn fwy cryno a dealladwy.

Lleolir y fynedfa yn y gornel bellaf…   Mae'r drws yn y gornel bellaf…

Mae yma staff o ddydd Llun hyd ddydd Gwener, a darperir y ddesg ymholiadau i helpu defnyddwyr gydag ymholiadau…

Mae staff ar y ddesg ymholiadau i'ch helpu o ddydd Llun i ddydd Gwener …

Os dywedwch wrthym bod ein prif ffiws, sy'n diogelu'r cyflenwad trydan i'ch cartref, wedi methu a'i bod rhwng 8 y bore ac 8 yr hwyr ar ddiwrnod gwaith arferol, byddwn yn ymweld â chi cyn pen 4 awr.

Os bydd ein prif ffiws wedi methu rhwng 8 a.m. a 8 p.m. ar ddiwrnod gwaith, byddwn acw o fewn 4 awr.

Fe dalwn £20 i chi os methwn ni â chydymffurfio â'r safon hon.

Os byddwn yn methu â chadw at y safon, byddwn yn talu £20 i chi.

Yn dilyn cais ysgrifenedig, fe anfonwn amcangyfrif atoch o fewn 10 diwrnod gwaith.

Os ysgrifennwch atom i ofyn, cewch amcangyfrif o fewn 10 diwrnod gwaith.

…a dogfennau i sefydlu eich statws o ran cenedligrwydd…

…a dogfennau sy'n dangos i ba genedl yr ydych yn perthyn…

Nid oes angen gweithredu ar yr uchod gan fod y taliad yn cael ei wneud drwy ddebyd uniongyrchol.

Nid oes angen i chi wneud dim gan eich bod yn talu trwy ddebyd uniongyrchol.

Bydd y gwasanaethau a ddarperir yn y swyddfeydd rhanbarth…yn parhau fel yn y gorffennol.

Bydd y gwasanaethau a gewch yn y swyddfeydd rhanbarth yn aros run fath.

Er mwyn defnyddio'r rhaglen i archwilio sillafu, yn gyntaf sefydlwch **Samson y Sillafwr** i mewn i Windows trwy ddefnyddio'r rhaglen sefydlu…

Er mwyn defnyddio'r rhaglen **Samson y Sillafwr** i edrych dros eich sillafu, rhowch hi yn Windows…

Lleolir toiledau i'r dynion a'r merched ar yr islawr…

Mae'r toiledau ar y llawr isaf…

 TÔN ADDAS I'R GWAITH

Yn aml iawn yn Gymraeg, oherwydd bod cymaint o wahaniaeth rhwng yr iaith ysgrifennu draddodiadol a'r iaith y byddwn yn ei siarad, mae tôn y gwaith yn dioddef. Gall swnio'n bell ac oeraidd. Braf ydi gweld enghreifftiau sy'n swnio'n agos atoch chi ac yn gynnes ar ffurflenni a thaflenni swyddogol. Dyma enghraifft o un o daflenni Dŵr Cymru:

> Os carech chi wybod am beth (sic) mae Dŵr Cymru Welsh Water yn ei wneud, da chi, anfonwch am un o'r taflenni gwybodaeth.

Yr hyn sy'n rhoi'r cynhesrwydd yw:

- *da chi*
- y defnydd uniongyrchol a wneir yma o'r ferf *anfonwch*. (Pan fydd ffurfiau amhersonol e.e. *anfoner, cynhelir* a.y.y.b. yn cael eu defnyddio, mae'r gwaith yn mynd i swnio'n fwy swyddogol ac oeraidd.)

I sefydlu tôn gynnes ac 'agos atoch,' cymerwch arnoch eich bod yn siarad â rhywun yn hytrach na'ch bod yn sgrifennu'n ffurfiol atyn nhw.

Edrychwch ar yr enghreifftiau hyn. Yna manylwch ar yr awgrymiadau sy'n disgrifio'r newidiadau:

Ni ellir ôl-ddyddio pasbort newydd i'r dyddiad y daeth y pasbort blaenorol i ben.	Yn anffodus, ni fedrwn ôl-ddyddio pasbort newydd i ddyddiad olaf yr hen basbort.

Awgrymiadau
- *ni fedrwn / ni allwn* - ffurf bersonol yn lle'r amhersonol *ni ellir*;
- *pasbort blaenorol* - eto braidd yn ffurfiol, felly rhoi ffurf mwy cyfarwydd - *hen basbort.*

Dylai'r sawl sy'n cwblhau Adran 12 ar y ffurflen fod yn dyst i'r ôl bawd.	Os mai chi a lenwodd Adran 12 ar y ffurflen, dylech fod yn dyst i'r ôl bawd.

Awgrymiadau
- newid *dylai'r sawl* i *os mai chi...dylech*, - mwy uniongyrchol a phersonol.

Efallai y gohirir rhoi pasbort nes i'r mater gael ei ddatrys...	Byddwn yn gohirio rhoi eich pasbort i chi nes bydd y mater yn cael ei ddatrys.

Awgrymiadau
- newid y ffurf amhersonol *gohirir* i *byddwn yn gohirio*, - mwy agos atoch a phersonol;
- newid *nes i'r mater* i *nes bydd y mater*, - mwy naturiol yn llafar.

Mae'r Bwrdd yn cadw'r hawl ar unrhyw adeg i adennill y taliad grant yn llwyr neu'n rhannol, i'r graddau nad yw'n cael ei ddefnyddio ar gyfer y dibenion a gymeradwyir.	Mae'r hawl gan y Bwrdd ar unrhyw adeg i ofyn am ran neu'r cyfan o'r grant yn ôl os nad yw'n cael ei ddefnyddio i'r pwrpas gwreiddiol.

Awgrymiadau
- Mae'r frawddeg gyfan yn swnio'n or-ffurfiol a'r ymadroddion sy'n cyfrannu fwyaf at hynny yw *yn llwyr* neu'n *rhannol... i'r graddau... ar gyfer y dibenion a gymeradwyir*.
- A ydych chi'n cytuno â'r hyn sy'n cael ei gynnig yn eu lle yn y golofn ar y dde?

Cynhelir noson agored a fydd yn sicr o apelio at bawb..	Bydd noson agored sy'n siwr o apelio at bawb...

Awgrymiadau
- y geiriau sy'n amharu ar dôn y frawddeg y tro yma yw *cynhelir* ac *yn sicr*.
- gallwch ddefnyddio berf bersonol fel *bydd* neu *byddwn yn cynnal* yn lle *cynhelir* a *siwr* yn lle *sicr*; mae *siwr* yn ffurf fwy llafar eto.

Cymerer y teulu fel esiampl...	Cymerwch y teulu fel esiampl

Awgrymiadau
Y ffurf amhersonol *cymerer* yw'r maen tramgwydd yma eto; gwell fyddai ffurf bersonol fel *cymerwch*.

13 CYFIEITHU RHY LLYTHRENNOL O'R SAESNEG

Un o broblemau mwyaf yr iaith Gymraeg yw bod pawb sy'n ei siarad yn ddwyieithog. Problem bellach yw bod ail iaith y rhan fwyaf ohonom yn digwydd bod yn un o'r ieithoedd cryfaf yn y byd, sef y Saesneg. Mae'r Saesneg wedyn yn cael effaith ar y ffordd yr ydym yn meddwl a'r ffordd yr ydym yn sgrifennu.

Er nad ydym bob tro yn cyfieithu brawddeg Saesneg, rydym yn aml yn meddwl yn Saesneg ac wedyn yn gwneud yr un camgymeriadau ag y bydd rhai'n eu gwneud wrth gyfieithu.

Cymerwch y frawddeg hon a welwyd mewn memo yn ddiweddar:

Er mwyn cadw pawb mewn gwybodaeth...

Mae'n debyg bod y person a'i hysgrifennodd yn meddwl am ymadrodd fel:

To keep everyone informed...

ac wedi'i gyfieithu'n ei feddwl. Os oes angen rhywbeth cyfatebol yn Gymraeg, byddai ymadrodd fel:

Er mwyn i bawb fod yn deall y sefyllfa...
Er gwybodaeth i bawb...
Hoffwn i bawb gael gwybod bod...
Y sefyllfa yw fod...

yn fwy naturiol a derbyniol. Mae hi'n anodd iawn cadw naturioldeb y Gymraeg wrth ddilyn brawddegau Saesneg air am air neu wrth feddwl yn Saesneg ac yna cyfieithu i'r Gymraeg yn y meddwl. Sut fyddech chi'n mynd ati i ddweud hyn mewn ffordd fwy naturiol yn Gymraeg?

Nawr fe ellwch dalu eich biliau am ddim mewn rhwydwaith o siopau sy'n dal i dyfu, gorsafoedd petrol ac ati...

Dyma'r frawddeg Saesneg wreiddiol:

> You can now pay your bills free of charge at a growing network of shops, petrol stations etc...

Sylw:

Y broblem fwyaf yn yr enghraifft yma yw'r geiriau sy'n *dal i dyfu*. Mae hi'n anodd penderfynu os mai cyfeirio at *y rhwydwaith* neu'r *siopau* y mae. Byddai eu symud i ddod yn union ar ôl y gair *rhwydwaith* yn rhoi gwell syniad o'r ystyr e.e.

> Nawr fe ellwch dalu eich biliau am ddim mewn rhwydwaith sy'n dal i dyfu o siopau, gorsafoedd petrol ac ati...

Ond mae defnyddio'r gair *cynyddol* yn union ar ôl y gair *rhwydwaith* yn well. Er bod *cynyddol* yn air ychydig yn fwy ffurfiol, mae'n cyfleu'r ystyr yn well. Y cyfieithiad wedyn fyddai:

> **Nawr fe ellwch dalu eich biliau am ddim mewn rhwydwaith cynyddol o siopau, gorsafoedd petrol ac ati...**

Dyma i chi fwy o enghreifftiau gyda sylwadau arnynt:

...wedi iddyn nhw dyfu i fyny...	...wedi iddyn nhw dyfu...

Sylwadau

Rhaid bod yn ofalus gydag unrhyw ymadrodd sy'n cynnwys yr *up* Saesneg e.e. *look up, grow up, wash up, put up,* a.y.y.b. Yr unig amser y byddwn yn defnyddio *i fyny* yn Gymraeg yw pan fyddwn yn gallu ei wneud *i lawr* hefyd, e.e. gallwn edrych i fyny ar y lleuad neu edrych i lawr ar ein traed, felly mae'n dderbyniol yn yr ystyr yma.

Yma, gwell fyddai ysgrifennu ...*wedi iddyn nhw dyfu*...

Byddwch yn ofalus gyda *down, out, in, off, on* ac *around* hefyd pan fyddant mewn ymadroddion Saesneg sy'n cael eu cyfieithu. Gofynnwch i chi'ch hun a oes angen unrhyw air Cymraeg i gyfateb iddyn nhw.

...peryglon y cam hwn o ddatblygiad... (...the dangers in this stage of development...)	...peryglon y cam hwn yn y datblygiad ... neu ...y peryglon yn ystod y cam hwn...

Sylwadau

Mae angen bod yn ofalus eto mewn ymadrodd lle cawn *of the* yn Saesneg. Yn Saesneg mae angen *the* ac *of the* mewn ymadroddion fel *the chairperson of the committee, the main point of the letter, the implications of the letter* a.y.y.b. Yn Gymraeg *y/yr/'r* sydd ei angen, e.e. *cadeirydd y pwyllgor, prif bwynt y llythyr, goblygiadau'r llythyr*.

...mae'n bosib dweud wrth blentyn i ddefnyddio geiriau...

..mae'n bosib dweud wrth blentyn am ddefnyddio geiriau...

Sylwadau

Mae angen bod yn ofalus iawn wrth gyfieithu arddodiaid (sef y geiriau bychain sy'n sôn am berthynas pethau â'i gilydd), e.e. *to, for, on* a.y.y.b. Yma ...*dweud wrth blentyn **am** ddefnyddio geiriau...* sy'n gywir. Byddwch yn ofalus gydag ymadroddion fel ...*put your coat on, ...I'm going for a walk... fetch that for me...I'm going to the Doctor's... I'm going to the council offices...* a.y.y.b.

...yn ychwanegol, dylech gyflenwi eich rhif personol...

...dylech hefyd roi eich rhif personol...
...dylech roi eich rhif personol yn ogystal...

Sylwadau

Yma, mae rhywun wedi cyfieithu'r gair *supply* yn llythrennol. Mae *y cyflenwad llythyrau* yn gywir ac mae *pibell gyflenwi yn mynd â dŵr i'r tŷ* ond mae *cyflenwi eich rhif* yn gyfieithiad llawer rhy llythrennol.

...bydd cyngerdd yno ar ddydd Mercher, 22 Medi...

...bydd cyngerdd yno ddydd Mercher 22 Medi...

Sylwadau

Does dim angen **ar** o flaen y gair *dydd* yn Gymraeg er bod *on* yn yr ymadrodd Saesneg. *Bydd y ffair **dd**ydd Mawrth nesaf* sy'n gywir; nid *ar ddydd Mawrth nesaf*.

Gan obeithio y cawn y pleser o'ch cwmni yno...

Gobeithio y cawn eich cwmni yno...

Sylwadau

Mae *gobeithio* ar ei ben ei hun yn ddigon; does dim angen i chi gynnwys y *gan* o'i flaen. Mae *the pleasure of your company* yn gywir yn Saesneg ond fel y dywedwyd yn barod, mae angen gofal wrth gyfieithu'r *of* sydd yn y Saesneg. Yn y fersiwn uchod, gollyngwyd yr **y** a'r **o** fel gydag enghreifftiau cynt.

Dyna rai canllawiau. Y dasg i chi bellach yw ceisio cofio'r cyfan a gwybod pryd a sut i addasu. Fyddwch chi ddim yn llwyddo dros nos os ydych wedi arfer sgrifennu mewn ffordd fwy traddodiadol. Bydd rhaid i chi droi'n ôl yn gyson at y llyfryn i'ch atgoffa chi'ch hun o rai pethau e.e. defnyddio'r berfenw yn lle'r enw haniaethol, defnyddio ffurf weithredol y frawddeg a.y.y.b.

Pwrpas y dudalen nesaf yw eich helpu chi i gofio rhai pwyntiau ac fel tudalen i'w dyblygu a'i chadw wrth eich penelin neu i'w gosod ar y wal o'ch blaen.

Cofiwch mai prif bwrpas defnyddio Cymraeg Clir yw:

- **symleiddio fel bod ffurflenni, llythyrau a.y.y.b. yn haws i'w llenwi a'u darllen;**
- **cael mwy o bobl i ddarllen a defnyddio'r Gymraeg;**
- **arbed arian ac amser i gwmnïau a chyrff cyhoeddus a phreifat gan y bydd hi'n haws prosesu'r wybodaeth ac y bydd llai o gamgymeriadau'n cael eu gwneud.**

Ond rhaid cadw urddas y Gymraeg a'i chadw'n naturiol. Peidiwch â chael eich temtio i symleiddio trwy lenwi'r gwaith â bratiaith a geiriau Saesneg.

Byddwch yn siwr o gael gafael ar ffyrdd eraill o symleiddio. Gadewch i ni yng Nghanolfan Bedwyr gael clywed amdanynt yn y gobaith y bydd galw am ail argraffiad o'r llyfryn yma.

Pob hwyl i chi.

~~Y DEG~~
YR UN DEG CHWECH GORCHYMYN

1 **Defnyddiwch frawddegau byr** (rhyw 20 - 25 gair)

2 **Dilynwch ddull naturiol y Gymraeg** wrth sgrifennu e.e. rhowch y ferf (gair gwneud) yn gyntaf os yw'n bosib.

3 **Peidiwch â defnyddio gair ffansi**, gair dieithr, gair hir iawn na gair technegol os bydd gair mwy cyffredin yn gwneud yr un gwaith.

4 **Cyfarchwch y darllenydd mewn ffordd naturiol** (e.e. *darllenwch, byddwch yn gwybod* a.y.y.b.). Peidiwch â 'siarad i lawr atynt.'

5 **Cofiwch atalnodi** gan ei gadw mor syml ag y gallwch. Cofiwch mai'r atalnodi sy'n dweud wrth y darllenydd ble y byddech chi'n oedi.

6 **Defnyddiwch fwledi** i rannu brawddeg hir yn bwyntiau byr.

7 **Cadwch ddigon o wyn ar y dudalen** (h.y. peidiwch â gorlwytho'r dudalen â phrint).

8 **Rhowch eich gwaith i gydweithiwr edrych drosto.** Ydi o/hi yn deall popeth? Oes 'na sgrifennu niwlog a gor-dechnegol?

9 **Peidiwch â defnyddio gormod o ddywediadau ac idiomau.** Gadewch y rheini i nofelwyr y genedl.

10 **Defnyddiwch iaith fydd yn gweddu i'r gynulleidfa** ac yn addas i'r pwrpas, (*Cywair*).

11 **Peidiwch â defnyddio gormod o gollnodau** (') i ddangos bod llythrennau ar goll (e.e. mae *ble* a *rwyf* yn dderbyniol; does dim rhaid sgrifennu b'*le* a '*rwyf*).

12 **Peidiwch â defnyddio jargon ac ymadroddion llanw** e.e. *ar ddiwedd y dydd, yn y byr dymor canolig, ar ôl pwyso a mesur, ymhellach i'ch llythyr, ysgrifennaf mewn ymateb i'ch gohebiaeth* a.y.y.b.

13 **Defnyddiwch rifau** e.e. 24, 6, 18 yn hytrach na'u hysgrifennu. Felly hefyd gyda dyddiadau - 1988, 1945 a.y.y.b.

14 **Treiglo** - ar bosteri, ffurflenni a.y.y.b. ceisiwch sgrifennu mewn ffordd sy'n osgoi treiglo. Yr un fath gyda gair dieithr.

15 **Amhersonol** - peidiwch â gor-ddefnyddio'r ffurfiau yma (*gwelir, gwelwyd, aseswyd* a.y.y.b.). Un ffordd o'u hosgoi yw peidio defnyddio'r amhersonol + gan. Cyfarchwch y darllenydd yn naturiol (edrychwch ar rif 4).

16 **Defnyddiwch frawddegau gweithredol** lle mae'n bosib (e.e. *Ciciodd y ceffyl fi* yn hytrach na *Cefais fy nghicio gan y ceffyl*).

ATODIAD 1

RHAI TERMAU GRAMADEG

ENW

Enw. Yn syml iawn, enw yw'r math o air sy'n disgrifio person, peth neu le. Enw cyffredin yw'r hyn a gewch wrth ofyn 'Beth yw hwn/hon?'

> e.e.   dyn, dynes, llythyr, swyddfa

Mae gan bob enw ei ffurf luosog hefyd. Mae'r geiriadur yn nodi'r ffurfiau hyn.

> e.e.   pwyllgor (-au), cyfarfod (-ydd), cais (ceisiadau)

Enw priod yw'r term sy'n cael ei ddefnyddio i ddisgrifio person neu le.

> e.e.   Mr Dean Pwysig
> Stryd Fawr, Bangor

Mae angen Prif Lythyren ar ddechrau pob enw priod. Enwau sy'n enwi ydynt. Mae'r un peth yn wir am ddyddiau'r wythnos, misoedd y flwyddyn a gwyliau arbennig.

Cenedl Enw. Mae llawer iawn o broblemau iaith yn codi oherwydd ansicrwydd ynghylch cenedl enw, h.y. a yw enw yn wrywaidd neu fenywaidd?

* * * Mae'n bosib cael yr wybodaeth gywir yn y geiriadur. * * *

Yno, ar ôl pob enw, fe welwch y talfyriadau yma:

> **eg** (enw gwrywaidd)
> **eb** (enw benywaidd)
> **egb** (enw sy'n gallu bod yn wrywaidd neu'n fenywaidd)

> e.e.   llythyr - eg. (enw gwrywaidd) **felly** y llythyr hwn, dau lythyr, llythyr pwysig sy'n gywir.

> dogfen - eb. (enw benywaidd) **felly** y ddogfen hon, dwy ddogfen, dogfen bwysig sy'n gywir.

Mewn ambell eiriadur fe welwch y talfyriadau Saesneg, **nm** (*noun masculine*), **nf** (*noun feminine*) neu **nmf** (*masculine or feminine noun*).

ANSODDAIR (ADJECTIVE)

Gair sy'n disgrifio enw yw ansoddair. Fel y mae'r gair ei hun yn ei awgrymu, mae'n dweud beth yw ansawdd enw.

> e.e.   cyfarfod pwysig, llythyr byr

Fel rheol, mae'r ansoddair yn dod ar ôl yr enw yn Gymraeg. Ond mae ambell ansoddair sy'n tueddu i ddod o flaen yr enw.

> e.e.   **hen** ddogfen, **prif** swyddog, **gwahanol** gyfarfodydd, a**nnwyl** gyfaill, **cryn** ddiddordeb, u**nig** ffordd

* * * Mae ansoddair o flaen yr enw yn achosi treiglad meddal. * * *

Wrth gymharu pethau â'i gilydd, mae ffurfiau gwahanol i'r ansoddair. Dyma'r patrymau rheolaidd:

(i)   cymharu dau beth a'u cael yn debyg

e.e.   mae'r ddogfen hon **cyn bwysiced** â'r ddogfen acw **neu**
mae'r ddogfen hon **mor bwysig** â'r ddogfen acw

(ii)   cymharu dau beth a chael un yn rhagori

e.e.   mae'r ddogfen hon **yn bwysicach** na'r ddogfen arall **neu**
mae'r ddogfen hon y**n fwy pwysig** na'r ddogfen arall

(iii)   dweud nad oes curo na chymharu ar rywbeth

e.e.   y ddogfen hon **yw'r bwysicaf neu**
y ddogfen hon **yw'r fwyaf pwysig**

Y duedd yw defnyddio'r patrymau

mor... â
yn fwy... na
yw'r mwyaf

os yw'r ansoddair yn rhy hir i ychwanegu'r terfyniadau **-ed**, **-ach**, **-af** ato.

Dydi pob ansoddair ddim yn dilyn y patrwm rheolaidd. Dyma rai o'r eithriadau mwyaf cyffredin:

da	cystal â	gwell	gorau
drwg	cynddrwg	gwaeth	gwaethaf
mawr	cymaint	mwy	mwyaf
bach	cyn lleied â	llai na	y lleiaf
isel	cyn ised â	is na	isaf

Os yw **cy-** ar ddechrau gair, nid oes angen '**cyn**' o'i flaen:

cystal â **nid** cyn gystal â

cymaint â **nid** cyn gymaint â

RHAGENW

Gair sy'n cael ei ddefnyddio yn lle enw yw'r rhagenw. Oni bai am y rhagenw, byddai'n rhaid ysgrifennu/dweud enwau pobl a lleoedd yn llawn bob tro.

Enghreifftiau o ragenwau yw:

fy   ein   dy   eich   ei   eu

Rhagenwau dibynnol blaen yw'r rhain h.y. rhagenwau sy'n dibynnu ar eiriau eraill.

e.e.   **fy** llythyr
ein penderfyniad
eich cais

Math arall o ragenw yw'r **rhagenw dibynnol mewnol**. Ystyriwch yr enghreifftiau canlynol:

> e.e.   o'**m** safbwynt i
>
> wedi'**i** wneud
>
> i'**ch** penderfyniad

Gwelwn fod **'m** yn gwneud yr un gwaith â **'fy'** (o fy safbwynt i), **'i** yn gwneud yr un gwaith ag **'ei'** (wedi ei wneud), a **'ch** yn gwneud yr un gwaith ag **'eich'** (i eich penderfyniad), felly, rhagenwau ydynt. Dyma'r ffurfiau arferol ar y rhagenw dibynnol mewnol:

> 'm
>
> 'n
>
> 'th
>
> 'ch
>
> 'i/'w
>
> 'u/'w

Dosbarth arall o ragenwau yw:

> hwn hon hyn

mewn ymadroddion fel:

> y llythyr hwn (gydag enw gwrywaidd)
>
> y daflen hon (gydag enw benywaidd)
>
> y penderfyniadau hyn (gydag enw lluosog)

Mae'n bosib defnyddio **yma** i gymryd lle *hwn*, *hon* a *hyn* mewn Cymraeg Clir ac yn llafar.

BERF

Math o air sy'n dweud beth mae rhywun neu rywbeth yn ei wneud yw **berf**. Mae'n bosib cael un gair i gyfleu hyn:

> e.e.   **Ysgrifennaf** atoch i holi am...

neu mae'n bosib defnyddio nifer o eiriau i gyfleu yr un ystyr:

> e.e.   **Rydw i yn ysgrifennu** atoch i holi am...

Y duedd yw defnyddio'r ffurf hir/gwmpasog ar lafar a'r ffurf fer/gryno wrth sgrifennu.

Mantais y ffurf fer yw ei bod yn gryno ac yn cynnwys tri pheth fel rheol:

> e.e.   ysgrifennaf

* y weithred / beth sy'n digwydd = **ysgrifennu**
* y person / pwy sy'n ei wneud = **fi**
* yr amser / pryd mae'n digwydd = **yn awr / presennol**

Yn y ferf amhersonol e.e. **dywedwyd**, **cynhelir**, does dim person. Mae'r amhersonol yn cael ei defnyddio lawer iawn mewn sgrifennu ffurfiol. Wrth sgrifennu Cymraeg Clir defnyddiwn lai arni a mwy ar y ferf bersonol e.e. **byddwch** yn lle *byddir*, **cofiwch** yn lle *cofier* a.y.y.b.

ADFERF

Gair sy'n disgrifio berf, ansoddair neu adferf arall yw adferf, e.e.

> penderfynwyd **yn unfrydol**
> (mae'n ychwanegu at ein gwybodaeth am y ferf 'penderfynu')

> **yn eithaf** pwysig
> (mae'n ychwanegu at ein gwybodaeth am yr ansoddair 'pwysig')

> unwaith **eto**
> (mae'n ychwanegu at ein gwybodaeth am yr adferf 'unwaith')

Yn Gymraeg, mae'n bosib ffurfio adferf trwy roi '**yn**' o flaen ansoddair, e.e.

> yn brydlon
> yn ddymunol
> yn isel

ARDDODIAD

Gair sy'n cael ei ddefnyddio gydag enw (neu ragenw) i ddangos perthynas yr enw gyda gair arall yn y frawddeg.

> e.e. Ysgrifennodd Mr Davies lythyr **at** y cadeirydd yn esbonio ei resymau **dros** ymddiswyddo.

Mae am ar at dan dros drwy wrth gan hyd heb i o i gyd yn arddodiaid.

Yn Gymraeg, mae'r arddodiaid hyn yn gallu cyfeirio at berson neu bethau, yn unigol a lluosog, h.y. mae rhai arddodiaid yn rhedeg.

> e.e. Mae'n ddrwg **gennyf** ('gan' + 'fi')
> Gofynnais **iddo** ('i' + 'fo')
> Mae'n rheidrwydd **arnom** ('ar' + 'ni')
> Ysgrifennodd **atynt** ('at' + 'nhw')

Pan ddaw arddodiad ar ddiwedd brawddeg rhaid defnyddio'r ffurf bersonol ar yr arddodiad.

> e.e. Ysgrifennaf i gyflwyno'r wybodaeth y gofynnwyd **amdani**.

Peidiwch â gorffen brawddeg gyda'r ffurf syml ar yr arddodiad.

> e.e. Ysgrifennaf i gyflwyno'r wybodaeth y gofynnwyd am.

Newidiwch yr **am** i **amdani**

> e.e. Ysgrifennaf i gyflwyno'r wybodaeth y gofynnwyd **amdani**

CYSYLLTAIR

Fel y mae'r gair ei hun yn ei awgrymu, gair sy'n cysylltu yw **cysylltair**.
Y cysyllteiriau mwyaf cyffredin yw:

a, ac, ond

ond y mae nifer o gysyllteiriau eraill y mae'n bosib eu defnyddio, e.e.

â/ag, oherwydd, pan, pryd, cyn, os, tra, neu

Mae'n bosib defnyddio'r cysylltair i gysylltu:

dau air: e.e. llythyr a dogfen
dau ymadrodd: e.e. digon o brofiad a llawer o allu
dwy frawddeg: e.e. Ysgrifennwyd at Mr Williams. Ni chafwyd ateb ganddo.
Ysgrifennwyd at Mr Williams ond ni chafwyd ateb ganddo.

_____

ATODIAD 2

CYMRAEG CLIR AM RAI YMADRODDION A GEIRIAU

Mae mwy nag un ystyr i air yn aml. Oherwydd hynny, mae rhai geiriau wedi'u rhoi mewn brawddeg i ddangos yr union ystyr.

Mae'r geiriau wedi'u gosod yn ôl trefn yr wyddor
- ar gyfer y gair sydd mewn print trwm (cyn ei dreiglo)
- yn y golofn sydd ar y chwith.

Awgrymiadau yn unig yw'r rhain; does dim disgwyl i chi dderbyn pob un. Maen nhw'n rhoi rhyw syniad i chi o sut mae symleiddio trwy ddefnyddio rhai o syniadau Cymraeg Clir.

...a fuasech cystal â...	...**a wnewch chi**...
... mae angen i chi **adolygu'ch** sefyllfa...	...wnewch chi **ailedrych ar** eich sefyllfa...
...a fuasech cystal â llenwi'r ffurflen a**mgaeëdig** ...	...wnewch chi lenwi'r ffurflen sy'n **y pecyn /amlen**...
...a'i dychwelyd yn yr **amlen amgaeëdig**...	...a'i hanfon yn ôl yn yr **amlen bwrpasol**...
...wnewch chi **gadarnhau** bod y ffeithiau hyn yn gywir...	...wnewch chi **gywiro** unrhyw ffeithiau sy'n anghywir...
...ar ôl **cwblhau'r** ffurflen...	ar ôl **llenwi'r ffurflen**...
...bydd disgwyl i chi **gyflawni'r** dyletswyddau a ganlyn...	...dyma'ch dyletswyddau chi / dyma'r dyletswyddau y byddwch yn eu **gwneud**...
...rhaid **datgan** unrhyw berthynas ag aelod o'r cyngor...	...os ydych yn perthyn i aelod o'r cyngor dylech **ddweud/nodi** hynny...
...rhaid **dychwelyd** y ffurflen i'r cyfeiriad uchod...	...**anfonwch** y ffurflen **yn ôl** atom...
...dymuna'r adran **eich hysbysu**...	...hoffwn **ddweud wrthych**...
...**eisoes**...	...**yn barod**...
...**fodd bynnag**...	...**ond**...
...**i'r perwyl hwn**...	...**i'r pwrpas yma**...
...bydd y swydd yn **parhau** ar ôl y cyfnod prawf...	bydd y swydd yn **cario mlaen** ar ôl y cyfnod prawf...
...bydd amodau'r swydd yn **parhau** yr un fath...	bydd y swydd yn **aros run fath**...
...mae'r swydd **wedi ei dynodi'n un**...	...mae'r swydd **yn un**...
...mae'r apwyntiad **yn ddarostyngedig i**...	mae'r apwyntiad **yn dibynnu ar**...
...**yn unol â** rheolau....	...**yn ôl rheolau**...
...dowch â'r drwydded deithio **ynghyd â** dogfennau perthnasol...	dowch â'ch pasport **a'r** papurau pwysig eraill...

Byddwn yn ychwanegu at y rhestr yma bob rhyw 2 fis a'u gosod ar y We ar safle Canolfan Bedwyr:

http://www.bangor.ac.uk/ar/cb/cb.htm.

Bwydwch eich awgrymiadau chi i ni ar

cbs001@bangor.ac.uk

Byddwn yn falch iawn o'ch help. Os yw'n well gennych eu hanfon, anfonwch nhw i:

Canolfan Bedwyr
Prifysgol Cymru Bangor
Aethwy
Ffordd y Coleg
Bangor
Gwynedd
LL57 2DG
Ffôn/Ffacs: (01248) 383293